A biblioteca dos sonhos secretos

Michiko Aoyama

A biblioteca dos sonhos secretos

Uma história sobre a magia dos livros e seu poder de conectar pessoas

Título original: お探し物は図書室まで (Osagashimono wa Toshoshitsu made)
Copyright © 2020 por Michiko Aoyama
Copyright da tradução © 2023 por GMT Editores Ltda.

Publicado pela primeira vez no Japão em 2020 pela POPLAR Publishing Co., Ltd.
Direitos de tradução em língua portuguesa acordados com
a POPLAR Publishing Co., Ltd., através da The English Agency (Japão) Ltd.
e New River Literary Ltd.

Todos os direitos reservados. Nenhuma parte deste livro pode ser
utilizada ou reproduzida sob quaisquer meios existentes
sem autorização por escrito dos editores.

tradução do japonês: Jefferson José Teixeira
preparo de originais: Alice Dias e Pedro Siqueira
revisão: Ana Grillo, Anna Beatriz Seilhe e Priscila Cerqueira
diagramação e adaptação de capa: Natali Nabekura
capa e ilustração: Anna Morrison
direção de arte da capa: Marianne Issa El Khoury/TW
impressão e acabamento: Cromosete Gráfica e Editora Ltda.

CIP-BRASIL. CATALOGAÇÃO NA PUBLICAÇÃO
SINDICATO NACIONAL DOS EDITORES DE LIVROS, RJ

A647b

Aoyama, Michiko
  A biblioteca dos sonhos secretos / Michiko Aoyama ; [tradução Jefferson José Teixeira]. - 1. ed. - Rio de Janeiro : Sextante, 2023.
  240 p. ; 21 cm.

  Tradução de: What you are looking for is in the library
  ISBN 978-65-5564-714-3

  1. Ficção japonesa. I. Teixeira, Jefferson José. II. Título.

23-85081   CDD: 895.63
                  CDU: 82-3(52)

Gabriela Faray Ferreira Lopes - Bibliotecária - CRB-7/6643

Todos os direitos reservados, no Brasil, por
GMT Editores Ltda.
Rua Voluntários da Pátria, 45 – Gr. 1.404 – Botafogo
22270-000 – Rio de Janeiro – RJ
Tel.: (21) 2538-4100 – Fax: (21) 2286-9244
E-mail: atendimento@sextante.com.br
www.sextante.com.br

Sumário

Tomoka, 21 anos, vendedora de roupas femininas • 7

Ryo, 35 anos, contador em uma fábrica de móveis • 49

Natsumi, 40 anos, ex-editora de revistas • 95

Hiroya, 30 anos, desempregado • 143

Masao, 65 anos, aposentado • 185

Tomoka, 21 anos, vendedora de roupas femininas

Saya me mandou uma mensagem contando que havia arranjado um namorado. Quando perguntei "Como ele é?", sua resposta foi "Médico".

Eu queria saber que tipo de pessoa ele era, mas ela deixou de lado a personalidade e a aparência do rapaz e se limitou à profissão. Bem, existem vários tipos de médico.

No final das contas, essa deve ser a forma mais rápida e simples de descrever alguém. Como se a profissão expressasse a personalidade das pessoas. Confesso que a palavra *médico* evoca em mim uma imagem bastante definida e estereotipada.

Então, o que será que as pessoas pensam sobre mim ao saberem da minha ocupação? Um desconhecido sentiria que me conhece?

No plano de fundo azul-celeste do meu celular, continuaram a aparecer mensagens curtas de Saya sobre seu novo namorado, que ela conhecera num evento de encontros às cegas.

Saya é da mesma cidade que eu. Somos amigas desde o ensino médio e, mesmo depois de eu me afastar para fazer faculdade em Tóquio e começar a trabalhar, ainda mantemos contato.

"E com você, Tomoka, como vão as coisas?"

Meu dedo pairou alguns instantes antes de responder. Nada de novo acontecia na minha vida.

Digitei "Tudo" e a primeira opção do preenchimento automático foi "bem". Acabei enviando desse jeito. Na realidade eu pretendia responder "Tudo um saco".

* * *

Eu trabalho no Éden.

Nesse centro comercial de nome paradisíaco, sou responsável pelo caixa e pelo atendimento aos clientes. Uso uma camisa rosa-coral por baixo de um colete preto e uma saia justa, todo dia: na primavera, no verão, no outono e também no inverno, já prestes a chegar. Faz seis meses que comecei a trabalhar no Éden, depois de me formar na faculdade. O tempo passou num piscar de olhos.

Em novembro, fim de outono por aqui, o aquecimento central é ligado. No salto alto apertado, meus pés transpiram dentro da meia-calça. Sinto os dedos suados e contraídos se atrofiarem.

Todas as mulheres que usam uniforme no trabalho devem ter essa mesma sensação, mas uma das peculiaridades do Éden é a tal blusa rosa-coral usada pelas funcionárias. Na época do treinamento, me disseram que essa tonalidade foi escolhida por uma colorista famosa. Além de passar uma imagem positiva, vibrante e gentil, acho que escolheram essa cor "por combinar com mulheres de todas as idades", uma coisa que deduzi sozinha depois de começar a trabalhar aqui.

– Fujiki, terminei meu intervalo. Agora é a sua vez – informou Numauchi ao retornar para o balcão do caixa. Seu batom retocado cintilava.

Fui designada para a seção de roupas femininas. Numauchi trabalha aqui há 12 anos. No seu aniversário, mês passado, declarou ter chegado à idade dos "dois dígitos iguais". Não devia ser nem 44 nem 66, então com certeza era 55. Quase a mesma idade da minha mãe.

A blusa rosa-coral de fato combina bem com ela. Acho que essas blusas foram idealizadas nessa cor porque há muitas mulheres de meia-idade trabalhando aqui.

— Fujiki, você tem voltado do seu intervalo bem em cima da hora. Tome cuidado!

— Certo, desculpe.

Numauchi tem uma posição de liderança entre as funcionárias. É mandona e meticulosa ao extremo, mas o que ela diz costuma estar sempre correto e a mim só cabe aceitar.

— Bem, estou indo.

Fiz um leve gesto de cabeça para ela e saí do balcão. Ao passar em frente a uma prateleira, percebi algumas peças fora do lugar e assim que estendi a mão para arrumá-las alguém me chamou.

— Com licença...

Ao me virar, dei de cara com uma cliente. Parecia ter mais ou menos a mesma idade de Numauchi. Não usava maquiagem, vestia uma jaqueta acolchoada bastante puída e carregava uma mochila gasta nas costas.

— Qual você acha que combina mais comigo?

A cliente levantava um suéter em cada mão, um vermelho-púrpura de decote em V, outro marrom de gola rulê.

Ao contrário de outras lojas, aqui as vendedoras não abordam os clientes de maneira direta. Acho isso ótimo, mas é lógico que quando uma pessoa pergunta algo é minha função atendê-la.

A primeira coisa que pensei foi que deveria ter deixado os produtos desarrumados e ido direto aproveitar o meu intervalo. Mas olhei para os dois suéteres e depois de uma breve hesitação apontei para o vermelho-púrpura.

— Esse de cor mais viva é mais bonito, a senhora não acha?

– Será? Não é berrante demais para mim?

– Nem um pouco. Mas, se deseja uma coisa mais sóbria, o marrom também é bonito. A gola esquenta o pescoço.

– Mas é muito apagado!

O diálogo improdutivo continuou. Perguntei se não gostaria de prová-los, mas ela recusou. Disse que achava uma perda de tempo. Tive vontade de suspirar, mas me contive. Toquei no suéter vermelho-púrpura.

– Acho essa cor linda, e combina com a senhora.

Quando falei isso, a atmosfera finalmente mudou.

– Acha mesmo?

Depois de observar fixamente o suéter vermelho-púrpura, a cliente ergueu o rosto para mim.

– Bem, vou levar este, então.

Ela entrou na fila do caixa. Dobrei o suéter marrom e o devolvi à prateleira.

Meu intervalo de 45 minutos foi reduzido a meia hora.

Ao sair para os fundos pela porta exclusiva para funcionários, cruzei com as vendedoras de uma loja de roupas de grife para jovens. Suas saias evasês de boa qualidade, com estampa xadrez verde-musgo e branco, balançavam.

Essas moças trabalham no mesmo andar que eu e se vestem com graça. Talvez usem os produtos que vendem na loja. Tenho a sensação de que o Éden ficou mais chique com essas moças estilosas trabalhando ali.

Dei uma passada no vestiário, peguei a sacola de plástico com meu lanche e fui até o refeitório.

O refeitório serve apenas dois tipos de macarrão (soba e udon), curry e uma fritura que varia toda semana. Comi algumas vezes ali, mas um dia reclamei com uma funcionária por ela ter errado meu pedido. Ela me tratou tão mal que não consegui mais comer ali. Em geral, como um sanduíche que compro em uma loja de conveniência no trajeto para o trabalho.

Por toda parte no refeitório floresciam rosas-corais. No meio delas, podiam-se ver alguns rapazes de camisa branca e alguns funcionários em roupas comuns aqui e ali.

Ouvi uma risada estridente ao meu lado. Era um grupo de quatro funcionárias falando animadas sobre seus maridos e filhos. Pareciam se divertir. Quem me visse pensaria que faço parte do "Time Rosa-Coral", mas, confesso, essas mulheres me assustam um pouco. Então prefiro manter distância.

Mas será que sou realmente diferente delas?

Havia uma razão para eu trabalhar no Éden: foi a única empresa que me aceitou.

Eu me candidatei sem muita motivação. Não só aqui, mas em vários outros lugares. Como não tenho muitos talentos, o importante era ser admitida onde quer que fosse.

Mais de trinta empresas me recusaram e, justo quando eu já estava cansada de tentar, recebi uma mensagem do Éden me chamando e decidi aceitar. Desde então desisti de procurar outro trabalho. O que mais conta para mim é continuar morando em Tóquio.

Se me perguntassem se é porque tenho como objetivo realizar uma coisa grandiosa na capital, responderia que não é bem assim. Mais do que desejar estar em Tóquio, quero não precisar voltar para o interior.

O lugar onde nasci é muito, muito, muito distante da cidade grande, e para onde quer que se olhe só se veem arrozais, arrozais e mais arrozais. Leva quinze minutos de carro da minha casa até a única loja de conveniência, solitária em uma avenida. As revistas são vendidas com atraso de alguns dias e não há cinemas nem lojas de departamentos. Tampouco algum lugar que se possa chamar de restaurante, somente pequenos estabelecimentos com menu fixo. A vida é tão monótona que desde meus tempos de colégio eu queria sair quanto antes dali.

Foi grande a influência exercida pelas novelas dos únicos quatro canais de tevê. Eu sonhava em ir para Tóquio, viver em um lugar onde há de tudo, com o refinamento e a dramaticidade das atrizes. Por isso meti a cara nos livros e entrei para uma faculdade na capital, para um curso de curta duração.

Pouco depois de chegar aqui, vi que tudo era uma enorme ilusão. Porém, por todo canto havia inúmeras lojas num raio de até cinco minutos a pé, trens circulavam a cada três minutos, e, nesse sentido, a capital era realmente um lugar dos sonhos. Em qualquer esquina era possível comprar artigos para o dia a dia e comidas prontas. Eu me acostumei rapidamente com essa vida. O Éden possuía várias lojas na região de Kanto, ao redor da capital, e, como fui designada para uma unidade próxima à estação de trem nos arredores da minha casa, o deslocamento era bem tranquilo.

Mas às vezes me pergunto: o que vou fazer daqui em diante?

O ímpeto fervoroso e a excitação de me mudar para Tóquio desapareceram como espuma quando isso se concretizou.

Poucas crianças do interior vêm estudar na capital. Então, quando vim para cá, todos me felicitavam dizendo quão fantástica eu era e eu me sentia nas alturas, mas no final das contas não me tornei nem um pouco fantástica.

Não tenho nenhum projeto pessoal incrível ou divertido, não tenho planos, não tenho sonhos nem perspectivas. O que tenho é uma vida inútil.

Será que minha sina é trabalhar para sempre no Éden? Vou apenas envelhecer dentro de um uniforme rosa-coral? Por trabalhar nos fins de semana e feriados, minhas amizades diminuíram e, apesar de não ser esse o único motivo, tampouco consigo arranjar um namorado.

E se eu mudasse de emprego?

Já pensei nisso várias vezes. Só que, no meu entender, isso exigiria um esforço descomunal, e eu não tenho vigor. Pois é, não tenho essa energia básica. Fico com preguiça só de pensar em atualizar meu currículo.

Será que haveria algum trabalho para uma recém-formada, cujo único emprego que conseguiu foi como vendedora no Éden?

– Ei, Tomoka!

Kiriyama me chamou com uma bandeja nas mãos. Ele trabalha na ótica Zaz. Tem 25 anos, quatro a mais do que eu, e é a única pessoa com quem posso conversar com franqueza sobre essas coisas.

Ele começou a trabalhar aqui quatro meses atrás. Como não é na mesma loja que eu e costuma ser chamado para dar suporte a outras unidades do grupo Zaz, há tempos não conversamos.

Na bandeja havia um prato de cavala frita e macarrão udon com carne. Ele era magro, mas era bom de boca.

– Posso sentar aqui?

– Claro.

Ele se sentou na minha frente. Seus óculos de armação fina e arredondada lhe caem bem, seu olhar é terno. Seu trabalho parece feito sob medida para ele. Falando nisso, ouvi dizer que ele largou outro emprego para trabalhar na Zaz.

– O que você fazia antes?

– Quem? Eu? Trabalhava em revistas. Fazia matérias, editava, cuidava da parte gráfica, coisas assim.

– Nossa, não sabia.

Foi uma surpresa para mim. Então ele trabalhava em uma revista! De um rapaz simpático e de modos gentis, passei a vê-lo também como alguém bem informado e intelectual. De fato, nossa profissão parece criar uma imagem de quem somos.

– Por que o espanto?
– É um trabalho fantástico.

Kiriyama soltou uma risadinha.

– Trabalhar para uma ótica também é!
– Claro.

Eu também ri. Dei uma mordida no meu pão recheado.

– Você tem mania de repetir "fantástico" para tudo, já reparou?
– É mesmo?

Talvez ele tenha razão.

Quando Saya me contou sobre seu novo namorado, lembro de ter usado esse adjetivo várias vezes. O que era "fantástico" para mim? Um talento especial, um conhecimento vasto? Coisas difíceis de se obter?

– Será que vou passar minha vida toda no Éden? – sussurrei enquanto tomava minha vitamina de morango.

Kiriyama levantou uma sobrancelha.

– O que houve? Está pretendendo mudar de emprego?
– Hum... Bem, nos últimos tempos tenho pensado nisso – respondi baixinho depois de hesitar um pouco.
– No setor de serviços mesmo?
– Não. Queria trabalhar em escritório. Poder me vestir como quiser, descansar nos fins de semana e feriados, ter uma mesa só para mim. Almoçar com os colegas do escritório em um café perto da empresa, falar mal do chefe na copa.
– Em nenhuma dessas cenas vejo você trabalhando...

Kiriyama riu. Mas ele está certo. Afinal, nem eu mesma sei o que quero fazer.

– Agora você está aqui, mas daqui a alguns anos pode conseguir trabalhar na matriz, não?
– É, acho que sim.

Para isso acontecer, é necessário trabalhar pelo menos três anos em uma das lojas. Pelo plano de carreira da empresa, depois de adquirir essa experiência, se desejar, o funcionário pode pedir uma transferência para o departamento administrativo ou o departamento pessoal da matriz. Se optar pelo departamento de desenvolvimento de produtos, pode ser encarregado de compras ou planejamento de eventos. Trabalho de escritório, como eu disse.

Mas na prática poucos pedidos são aprovados. O mais realista era, depois de trabalhar um bom tempo em uma loja, ser promovido a chefe de seção. Foi assim com Uejima, meu chefe, um homem sem qualquer motivação. Ele tem 35 anos e está nesse cargo há cinco. Quando penso nisso, imagino que talvez seja isso que vai acontecer comigo, na melhor das hipóteses. Chamam de promoção, mas o teor das funções quase não muda. Pelo contrário, a responsabilidade só aumenta com a obrigação extra de gerenciar o pessoal. Fico arrepiada só de pensar. O salário melhora um pouco, mas me falta firmeza para assumir um cargo desses.

– Como você encontrou o trabalho na Zaz? – perguntei a Kiriyama.

– Num site de empregos. Eu me cadastrei e choveram ofertas de vagas! Só precisei escolher.

Ele me mostrou no celular.

Era só preencher um formulário com seus dados, a função desejada, sua experiência e suas competências, e eles mandariam por e-mail informações sobre vagas disponíveis. O exemplo de formulário preenchido era muito detalhado: vários tipos de qualificação, pontuação no teste de inglês, número da carteira de motorista... Tinha que assinalar muitos quadradinhos.

– O problema são as competências. Eu só tenho o nível básico de inglês.

Eu devia ter pelo menos tirado a carteira de motorista. O carro é indispensável ao dia a dia das pessoas na minha cidade, e quando os jovens terminam o ensino médio vão correndo procurar uma autoescola. Com minha vinda para Tóquio definida, imaginei que isso era desnecessário e aproveitei o tempo livre. Na escola éramos obrigados a estudar inglês, mas ter o nível básico e nada dava no mesmo.

Seguindo o formulário de cadastramento, vi que o item para checagem dos conhecimentos em informática era ainda mais detalhado. Word, Excel, PowerPoint e outros programas de que eu nunca tinha ouvido falar.

Eu tenho um notebook que usava para fazer os trabalhos da faculdade. Entretanto, desde que comecei no Éden não tive mais tempo de escrever nada. Um dia o roteador deu problema e, como comprar um novo era complicado e eu não saberia bem como fazer para me conectar ao wi-fi, o notebook ficou de lado. Até porque consigo fazer quase tudo pelo smartphone.

– Se for só para digitar textos no Word tudo bem, mas não sei nada de Excel.

– Se pretende trabalhar em escritório, é melhor aprender!

– Mas um curso de informática deve ser muito caro.

Então Kiriyama sugeriu uma coisa inusitada.

– Tem aulas nos centros comunitários. Eles costumam ter cursos a preços populares para a comunidade local.

– Sério?

Amassei a sacola do lanche que acabara de comer e, ao olhar o relógio de pulso, vi que me restavam menos de dez minutos. Queria ir ao banheiro ainda, mas Numauchi ficaria uma fera se eu não voltasse três minutos antes.

Terminei de tomar minha vitamina de morango e me levantei.

* * *

Nessa noite, acessei a internet pelo celular, fiz uma busca por "Hatori", o distrito onde eu moro, "residente distrital" e "aulas de informática" e me espantei com a quantidade de resultados. Muitos mesmo.

O Centro Comunitário Hatori me chamou a atenção. Verifiquei o endereço e descobri que era nas redondezas. Parecia ser anexo a uma escola primária localizada a menos de dez minutos a pé da minha casa.

No site encontrei informações sobre vários cursos: xadrez japonês, haicai, dança de salão, dança havaiana, ginástica. Organizavam com frequência eventos de arranjo floral e seminários. Pelo visto, para frequentar o Centro bastava residir no distrito.

Era difícil imaginar que tudo isso acontecia em uma escola primária pertinho de mim. Moro há quase três anos neste apartamento e nunca nem tinha ouvido falar disso.

As aulas de informática pareciam ser realizadas em uma sala de reuniões.

"Traga seu notebook ou pegue um emprestado com a gente. Taxa de 2 mil ienes por aula. Toda quarta, das 14h às 16h", dizia o site.

O aluno era orientado individualmente e a frequência era livre. Por não ser no fim de semana, estava perfeito para mim. Nessa semana, minha folga caía na quarta-feira.

"Iniciantes são bem-vindos. Recomendado para quem deseja aprender no seu ritmo. Orientação individual. Ensinamos desde o manuseio correto do computador, Word e Excel, até a criação de sites e programação. Aulas ministradas por Gonno."

Caía como uma luva para mim.

Preenchi e enviei o formulário de inscrição. Apesar de ainda não ter nem começado, uma surpreendente alegria me invadiu só de me imaginar usando o Excel.

* * *

Dois dias depois, na quarta-feira, fui até a escola primária levando meu notebook.

Conforme o mapa que vi no site, a entrada ficava no final de um caminho estreito após circundar o muro da escola. Era um sobrado branco. Acima da porta de vidro havia um pequeno telhado parecido com um toldo e uma placa em que se lia "Centro Comunitário Hatori".

Abri a porta. Logo na entrada havia uma recepção onde estava sentado um senhor de fartos cabelos brancos. Ao fundo havia um escritório em que uma senhora de bandana na cabeça escrevia algo à sua mesa. Eu me dirigi ao senhor.

– Boa tarde. Vim para a aula de informática.

– Ah, sim, por favor preencha seus dados nessa folha. As aulas acontecem na sala A.

Ele apontou para uma prancheta sobre o balcão. Nela estava presa a folha com uma lista onde deveriam ser preenchidos o nome do visitante, o objetivo da visita e os horários de entrada e saída.

A sala A se localizava no térreo. Depois de passar pela recepção havia um espaço semelhante a um saguão, e a sala ficava logo após dobrar à direita. Dava para espiar o interior pela porta aberta. Uma moça de cabelos ondulados, que devia ser um pouco mais velha do que eu, e um idoso de rosto angular estavam sentados, um de frente para o outro em uma mesa comprida, com seus notebooks abertos diante deles.

Pensei que o instrutor fosse um homem, mas Gonno era uma senhora por volta dos 55 anos.

– Meu nome é Fujiki – eu me apresentei, e ela abriu um sorriso simpático.

– Escolha à vontade seu assento – disse ela.

Sentei ao lado da moça. Concentrados em suas tarefas, tanto ela quanto o idoso não se importaram com a minha presença.

Abri meu notebook. Por via das dúvidas, eu o tinha ligado em casa depois de muito tempo sem usá-lo. Também não carregava a bateria havia muito tempo e talvez por isso tenha demorado tanto para iniciar, mas estava funcionando.

Por ter me acostumado com o celular, não conseguia usar direito o teclado. Seria melhor treinar o Word também.

– Você quer aprender a mexer no Excel, correto?

A sra. Gonno sabia disso porque eu havia informado na inscrição. Ela olhou meu notebook.

– Sim, mas meu computador não tem Excel.

Ela espiou rápido a tela e movimentou com facilidade o mouse.

– Tem, sim! Vou criar um atalho, o.k.?

No canto da tela, um ícone quadrado verde apareceu. Exibia um X.

Fiquei surpresa. O Excel estava escondido em algum lugar no computador.

– Como você usa o Word, imaginei que o Office estivesse instalado.

Office instalado? Não entendi o que aquilo queria dizer, mas fiquei contente. Lembrei que quando estava na faculdade não consegui configurar o Word e pedi a um colega da turma que fizesse isso para mim. É horrível ter que depender dos outros, mas felizmente deu certo.

Durante duas horas a sra. Gonno me ensinou o Excel a partir do zero. Ela ia e vinha entre os outros dois alunos e parecia dar uma atenção especial a mim, o rosto novo da turma.

O que mais me surpreendeu foi conseguir descobrir a soma total ao selecionar as células com valores inseridos nas várias fileiras só apertando uma tecla. Me emocionei com a praticidade, e minha expressão de espanto fez a professora sorrir meio sem graça.

Enquanto seguia as lições eu ouvia a conversa entre os outros alunos e a professora. Os dois pareciam ter feito vários cursos ali. O idoso criava um site sobre flores silvestres e a moça pelo jeito tentava abrir uma loja on-line.

Enquanto eu não fazia nada de produtivo na vida, havia pessoas bem próximo de mim estudando com afinco em uma pequena sala. Pensar assim fez com que eu me sentisse patética.

– Não temos material de apoio, então vou te recomendar um livro – disse a professora quando o fim da aula se aproximava. – Mas não precisa ser apenas ele. Dê uma olhada na livraria ou na biblioteca e escolha algum que você ache útil.

Ela continuou sorridente e me mostrou um manual de informática.

– Aproveitando, aqui no centro comunitário temos uma biblioteca.

Biblioteca.

Essa palavra soava tão bem aos meus ouvidos! Senti como se eu tivesse voltado à época de estudante. *Bi-bli-o-te-ca.*

– É possível pegar livros emprestados?

– Sim, qualquer morador do distrito pode. Até seis livros por duas semanas, se não me engano.

O idoso chamou a professora. Ela foi até ele.

Anotei o nome do livro recomendado pela sra. Gonno, fechei o notebook e saí da sala.

* * *

A biblioteca ficava bem nos fundos do térreo, ao lado da copa, depois de passar por duas salas de reunião e uma outra em estilo japonês.

Na parede acima da entrada havia uma placa onde se lia "Biblioteca". A porta estava escancarada.

Olhei discretamente o interior. Havia estantes enfileiradas em um espaço equivalente ao de uma sala de aula e um balcão logo à esquerda. Uma placa em um canto indicava "Empréstimos e devoluções".

Uma moça baixa com um avental azul-marinho devolvia livros de bolso à estante em frente ao balcão.

– Com licença, onde ficam os livros de informática? – perguntei a ela.

A moça levantou de súbito o rosto. De olhos espantosamente grandes, era tão jovem que parecia uma colegial. Seu rabo de cavalo balançava. No crachá pendurado no peito estava escrito seu nome: Nozomi Morinaga.

– De informática? Por favor, me acompanhe.

Ainda segurando alguns livros de bolso, ela passou ao lado da mesa de leitura e me levou até uma grande estante encostada na parede.

Informática, idiomas, livros para concursos. Os livros estavam separados, categorizados, para facilitar a visualização.

– Obrigada.

Eu olhava a estante quando Nozomi me falou sorrindo:

– Se precisar de ajuda, a bibliotecária fica no fundo da sala.

– Ajuda?

– Isso. Se estiver querendo algum livro específico, ela procura para você.

– Obrigada.

Fiz um breve aceno com a cabeça. Ela retribuiu e voltou para a estante de livros de bolso.

Passei os olhos pelos livros de informática. Não encontrei aquele recomendado pela professora Gonno. Como não fazia ideia de qual livro seria melhor para mim, decidi perguntar à bibliotecária.

Nozomi tinha dito que ela está no fundo da sala, certo? Retornei até diante do balcão e, ao olhar para o fundo da biblioteca, vi que havia um anteparo. Para além dele, uma placa no teto anunciava: "Seção de consultas".

Caminhei até lá e vi a bibliotecária, uma mulher volumosa que preenchia todo o espaço entre o anteparo e o balcão em formato de L.

Sobre o avental bege, ela vestia um cardigã creme de lã rústica. Os cabelos puxados para o alto formavam um coque pequeno, espetado com um longo grampo metálico enfeitado com três cachos de elegantes flores brancas na ponta. Cabisbaixa, parecia executar alguma tarefa, mas de onde eu estava não dava para ver com exatidão o que era.

No crachá em seu pescoço estava escrito Sayuri Komachi. Que nome fofo!

– Oi, desculpe interromper... – falei, me aproximando.

A mulher apenas levantou os olhos para mim, sem mover mais nenhum músculo do corpo. Espiei suas mãos atrás do balcão e fiquei petrificada. Sobre um tapetinho do tamanho de um cartão-postal, ela espetava uma agulha em uma coisa redonda parecida com uma bolinha de pingue-pongue.

Quase deixei escapar um grito. O que ela estava fazendo? Lançando algum tipo de maldição sobre alguém?

– Ah, tudo bem, não tem problema.

Eu estava pensando em fugir dali quando ela me interpelou:

– O que você procura?

A voz dela me envolveu de uma forma estranha, como um calor que abraçava meu corpo. De repente me senti segura e em paz, apesar de ela ainda me olhar com aquela expressão sisuda.

O que você procura?

O que eu procuro.

Um objetivo na vida, um trabalho em que eu seja boa, coisas assim.

Mas não adiantaria falar isso para a bibliotecária. A pergunta dela não foi nesse sentido, eu sei.

– Bem... Livros que ensinem como mexer no computador...

Ela puxou para si uma caixinha laranja que estava bem ao seu lado. Reconheci o desenho de flores brancas na tampa: era uma caixa de biscoitos Honey Dome. Não era um produto luxuoso, mas também não era fácil de achar em uma loja qualquer. Por isso passava uma sutil impressão de refinamento.

A Sra. Komachi destampou a caixa e eu vi diversas agulhas e uma pequena tesoura. Pelo jeito, ela usava a caixa vazia para guardar seu material de costura. Ela guardou ali a agulha e a bola de lã e me fitou.

– O que quer aprender a fazer no computador?

– Usar o Excel. O suficiente para marcar alguns itens na seção de "competências".

– Seção de competências? – repetiu ela.

– Estou pensando em me cadastrar em um site de empregos. Meu trabalho atual é desestimulante, e não vejo propósito nele.

– Que tipo de trabalho você faz?

– Nada de muito importante. Sou uma vendedora de roupas femininas em um centro comercial.

Komachi inclinou a cabeça. As flores do longo grampo de metal enfiado no seu coque cintilavam.

– Você realmente considera sem importância o trabalho de uma vendedora em um centro comercial?

Não soube o que dizer. Komachi se calou. Parecia estar esperando pela minha resposta.

– Bem... Qualquer um pode fazê-lo. Entrei na empresa sem refletir muito, não porque quisesse ter esse trabalho ou sonhasse com ele. Mas preciso trabalhar. Sou sozinha e não tenho ninguém para me ajudar com as despesas.

– Veja bem. Você procurou um emprego, foi contratada, trabalha todos os dias e se sustenta por seu próprio esforço, não? Isso é maravilhoso!

Senti vontade de chorar. Ela reconhecia meu esforço.

– Sobre me sustentar... bem, eu vivo de sanduíches comprados em lojas de conveniência, então...

Tentei disfarçar minha emoção dizendo algo meio fora do contexto. Quando ela disse "se sustenta" não era bem a isso que se referia. Komachi meneou a cabeça.

– Bem, qualquer que tenha sido sua motivação, é louvável essa sua postura de querer aprender coisas novas!

A mulher se voltou para o computador apoiando as duas mãos no teclado.

Tatatatatatatata. Ela começou a digitar com uma velocidade impressionante. Meus olhos não conseguiam acompanhar seu movimento.

Por fim, ela apertou o Enter e levantou de leve as mãos. De repente, a impressora ao lado começou a trabalhar.

– Esses aqui são os livros recomendados para iniciantes em Excel.

Ela me entregou uma folha impressa contendo uma lista com o título dos livros e o nome dos respectivos autores, seguido de um código que deveria ser a localização deles na estante.

Introdução do zero ao Word e ao Excel, Manual de Excel para iniciantes, Guia rápido e prático para aprender Excel em pouco tempo, Introdução simples ao Office. Por último havia um título que aparentemente não deveria estar ali.

Guri e Gura.

Olhei pasma para as três palavrinhas desse título.

Seria mesmo *Guri e Gura*? O livro infantil sobre dois ratos no bosque?

– Ah, mais uma coisa – disse Komachi.

Girando apenas um pouco sua cadeira, ela esticou o braço para baixo do balcão.

Inclinei de leve o corpo para ver. Havia ali um gabinete de madeira com cinco gavetas. Ela abriu a gaveta do alto. Não enxerguei muito bem, mas estava repleta de objetos multicoloridos. Ela pegou um deles e o estendeu na minha direção.

— Tome, é para você.

Abri a mão automaticamente e a bibliotecária pousou o objeto sobre ela. Era leve, redondo, preto, do tamanho de uma moeda e tinha uma coisa parecida com um cabo.

Uma frigideira?

Era um artesanato em feltro de lã no formato de uma frigideira. No cabo estava presa uma pequena argola metálica.

— O que é isto?

— Um brinde.

— Brinde?

— Quem não gosta de um brinde junto com um livro?

Eu olhei com desconfiança para a frigideira. Um brinde. Bem, pelo menos é bonitinho.

Komachi voltou a retirar da caixa a agulha e a bola de lã.

— Você já fez? Feltragem com agulhas?

— Não. Mas já vi na internet.

Ela ergueu a agulha diante de mim. Uma das pontas era dobrada em um ângulo reto e a outra, mais fina, tinha umas "farpinhas".

— Feltragem com agulha é um trabalho estranho. Espetando a agulha repetidas vezes cria-se na lã um formato tridimensional. O simples fato de espetar vai fazendo os finos fios da lã se entrelaçarem e ganharem forma, graças a um mecanismo delicado na ponta da agulha.

Dizendo isso, ela começou a espetar de novo a bola de lã. A frigideira devia ser criação dela. Dentro das gavetas sem dúvida havia inúmeras obras de feltragem. Será que ela as distribuía aleatoriamente como brinde?

Komachi movimentava as mãos com habilidade, como se quisesse sinalizar que tinha concluído seu trabalho como bibliotecária. Eu queria perguntar um monte de coisas, mas, temendo incomodar, apenas agradeci e me afastei.

O número da estante de livros de informática da lista era o mesmo da estante que Nozomi me indicara pouco antes. Acabei escolhendo dois títulos que julguei mais simples.

Apenas um número era diferente, o de *Guri e Gura*.

Eu li esse livro várias vezes quando estava no jardim de infância. Se bem me lembro, minha mãe também o lia para mim. Mas por que a bibliotecária me recomendara esse livro? Será que ela tinha digitado errado?

Os livros ilustrados e os infantis ficavam em uma seção cercada por estantes baixas ao lado da janela. Placas macias de poliuretano no formato de quebra-cabeça estavam estendidas pelo chão, onde só se podia pisar descalço.

Cercada por aqueles livros, me senti relaxada. Havia três exemplares de *Guri e Gura*. A biblioteca devia ter muitos por ser um clássico bastante popular. Eu devia pegá-lo, já que estava na lista de Komachi? Bem, não custava nada.

Levei os dois guias de informática e *Guri e Gura* até o balcão onde estava Nozomi. Apresentei minha carteira de identidade e ela criou uma ficha para mim na biblioteca. E então levei os livros emprestados.

※ ※ ※

No caminho de volta passei pela loja de conveniência e comprei um enroladinho de canela e um café com leite gelado.

Depois de devorar tudo assistindo à tevê, senti vontade de comer algo salgado e peguei um dos copos de lámen empilhados no armário da cozinha. O relógio indicava seis horas, então aquele seria meu jantar.

Coloquei a chaleira com água no fogo e tirei da bolsa os livros emprestados. Primeiro, os guias de informática. Tentei me imaginar dominando o assunto e teclando com agilidade no computador em um escritório.

E, então, peguei o outro: *Guri e Gura*.

Era uma edição em capa dura, branca. Quando eu era criança ele parecia ser maior, mas vendo agora é do tamanho de um caderno comum. Acho que tinha essa impressão por ele abrir na horizontal.

Abaixo do título, dois ratos caminham, se entreolham e carregam um grande cesto, como bons amigos dividindo uma tarefa. Ambos de aparência semelhante, com chapéu e roupas combinando: azul o da esquerda, vermelho o da direita.

Qual era Guri e qual era Gura?

Olhando bem, no título *Guri* é escrito em azul, e *Gura* em vermelho.

Ah, acho que agora sei qual é qual.

Dei uma risadinha ao pensar nisso. Nunca havia me dado conta desse detalhe.

Folheei o livro seguindo o fluxo das ilustrações. Guri e Gura foram ao bosque e encontraram um grande ovo. Mais para o final, bem no centro de uma página dupla, havia o desenho de uma panqueca dentro de uma grande frigideira.

Pensei na frigideirinha que a bibliotecária me deu. Li o texto dessa página com ela em mente: *O pão de ló amarelo e fofinho começou a aparecer.*

Essa frase me pegou de surpresa.

Pão de ló? Sempre achei que fosse panqueca.

Voltei algumas páginas. Guri e Gura estavam preparando a "massa": ovos e açúcar, leite e farinha de trigo. Misturaram tudo e cozinharam na frigideira. Fazer pão de ló era mais fácil do que eu imaginava.

A chaleira apitou.

Eu me levantei, desliguei o fogo, abri o copo de lámen.

Eu já tinha lido aquele livro inúmeras vezes, mas havia me

esquecido da história. Melhor dizendo, eu me lembrava dela do meu jeito.

Mas é interessante, quando se é adulto, reler livros que lemos na infância. Percebemos coisas novas.

Coloquei a água quente no lámen e, quando eu tampava o copo, o telefone tocou.

Era Saya. É raro ela me telefonar. Só acontece quando ela está ou muito deprimida ou muito feliz.

Atendi, mas hesitei alguns segundos olhando de esguelha para o lámen.

– Ah, Tomoka. Desculpe ligar de repente. Hoje é seu dia de folga, não é? – disparou Saya meio constrangida.

– Ahã.

– Desculpe. É que tem uma coisa que quero perguntar pra você. Podemos falar agora?

– Claro. O que houve?

Ao ouvir isso, a voz de Saya se tornou animada.

– Mês que vem é Natal, correto? Combinei com meu namorado de dizermos o que cada um deseja ganhar de presente, mas eu não sei o que fazer. Vou ficar sem jeito de pedir uma coisa muito cara, mas se for muito barata posso acabar decepcionada. Você pode me ajudar?

Dessa vez ela ligou porque estava feliz.

Pensando no meu lámen, me arrependi um pouco de ter atendido. Devia ter deixado essa conversa para depois do jantar. Sem poder pedir para conversarmos mais tarde, deixei escapar apenas um "Ah..." baixinho, coloquei no viva-voz e pus o celular sobre a mesinha de centro. Separei os hashis descartáveis e, enquanto concordava com o que Saya dizia, comi o lámen tentando não fazer barulho.

– Ah, você estava ocupada? Estava fazendo o quê? – disse ela, talvez percebendo a falta de ânimo na minha voz.

Não quis dizer que eu estava comendo, então respondi:
– Não, está tudo bem. Estava lendo um livro. *Guri e Gura.*
– *Guri e Gura*? Aquela história dos ratos fazendo omelete no bosque?

E essa agora? A panqueca que eu tinha imaginado estava mais próxima da realidade.
– Não é omelete. É um pão de ló.
– É? Sério? Não é a história dos ratos que caminhavam pelo bosque e dão de cara com um ovo enorme?
– Isso mesmo! Eles discutem o que fazer e por fim decidem fazer um pão de ló!
– É? Era isso mesmo? Só mesmo quem cozinha teria uma ideia dessa, não é? Alguém que não sabe o que fazer com um ovo jamais pensaria nisso.

É outra forma de ver as coisas.

Tomei o caldo do lámen. Saya continuou falando.
– Sempre soube que você era diferente, Tomoka. Ler livros infantis num dia de folga é muito chique e intelectual. Todo mundo é assim em Tóquio?
– Não sei, mas há cafeterias onde as pessoas vão para ficar lendo.

Procurei ser evasiva nas minhas palavras. Desde que se formou no ensino médio, Saya ajuda na loja de ferragens da família. Ela cisma que eu sou uma pessoa cosmopolita capaz de lhe ensinar sobre o mundo.
– Você é fantástica, Tomoka. Você é a estrela-guia das minhas expectativas! Uma mulher de garra que foi para Tóquio fazer carreira.
– Menos, Saya, menos.

Eu negava, dominada por um sentimento de culpa. Senti que o vazio do meu coração se refletia, como num espelho, na sinceridade ingênua de Saya.

Contei a ela que trabalhava "com moda". Lido com roupas, afinal, então essa expressão não chegava a ser uma mentira, mas passava perto. Não mencionei o Éden. Porque se ela pesquisasse na internet logo acabaria descobrindo tudo.

Eu não queria dizer a verdade, nem tanto pela nossa amizade, mas porque ela me chamava de "fantástica". Talvez eu desejasse ter alguém que me visse como superior. E como Saya parecia me ver assim, talvez me mostrasse essa imagem de mim mesma.

Quando eu estava na faculdade, gostava de ouvir os elogios dela. Eles me incentivavam. Mas, nos últimos tempos, começara a ficar doloroso ouvir essa palavra, *fantástica*.

Descansei os hashis e, para expiar minha culpa, fiquei duas horas inteiras ouvindo sobre a vida amorosa da minha amiga.

＊ ＊ ＊

Na manhã seguinte perdi a hora e saí voando para pegar o trem sem pentear direito os cabelos ou pôr maquiagem.

Fui deitar cedo no dia anterior, mas acessei a internet e acabei perdendo o sono. Meu erro foi ter começado a ver vídeos de um dos meus ídolos. Quando dei por mim já era de manhãzinha e não tinha pregado o olho.

Depois que a loja abriu, procurei conter os bocejos enquanto arrumava os produtos numa prateleira baixa. Então um berro vindo de cima me atingiu em cheio.

– Ah, aí está você! Olha só.

Era uma voz estridente de doer os tímpanos. Ainda agachada, virei o rosto na direção da voz e vi uma mulher de cabelos desgrenhados de pé, toda empertigada.

Era a cliente que dias antes havia me perguntado qual suéter combinava mais com ela, o vermelho-púrpura ou o marrom.

Eu me levantei às pressas. Ela me mostrou o suéter vermelho--púrpura.

— Você me vendeu um produto com defeito.

Fiquei em choque. Com defeito? O que teria acontecido?

— Coloquei na máquina de lavar e encolheu! Fique com ele e trate de devolver o meu dinheiro.

Fui me recuperando do choque. Minha voz soou forte ao responder:

— Não aceitamos devoluções de produtos lavados.

— Só comprei porque você me aconselhou. Assuma a responsabilidade!

Era uma acusação falsa. Até agora eu havia recebido algumas reclamações, mas nunca de forma tão agressiva.

Tentei manter a calma enquanto refletia. O treinamento tinha me ensinado a lidar com situações assim. O que eu poderia fazer nesse caso? Mas, com a raiva que estava sentindo, não conseguia pensar em uma solução.

— Está me fazendo de idiota empurrando um produto vagabundo, não é?

— Eu jamais faria isso!

— Já vi que não adianta gastar saliva com você. Vá chamar seu chefe.

Senti minha cabeça latejar. Era ela que estava me fazendo de idiota, não era?

Se chamar meu chefe ajudasse em algo, eu o faria com prazer. Porém, para meu azar, Uejima, chefe da área, só iria trabalhar hoje no turno da tarde.

— Ele vem na parte da tarde.

— Ah, é? Então eu volto depois.

Ela lançou um olhar no meu crachá e partiu dizendo "Então seu nome é Fujiki! Bom saber".

* * *

Eu, a estrela-guia das expectativas de minha amiga Saya, a mulher de garra e devotada à carreira, era tratada como uma incompetente e insultada por uma cliente com uma reclamação sem pé nem cabeça. Eu tremia e chorava de raiva.

Detestaria que Saya me visse assim.

De que adiantou estudar com afinco e vir para Tóquio?

Uejima chegou ao meio-dia e lhe relatei o caso.

– Você precisa saber se virar para resolver esse tipo de situação, Tomoka! – disse, franzindo as sobrancelhas.

Eu sabia que ele não me ajudaria muito, mas como ousava falar daquele jeito comigo? Senti uma raiva diferente da que eu nutria pela cliente.

Passando por ali, Numauchi nos espiou de relance. Droga! Eu não queria que ela soubesse do ocorrido. Não suportaria vê-la me julgando como uma funcionária relapsa.

Estava desanimada quando deu a hora do meu intervalo.

Como de manhã eu estava a ponto de me atrasar, não passei na loja de conveniência para comprar algo para comer. Pensei em enganar o estômago com os bolinhos guardados na bolsa, mas esqueci que os tinha comido em casa dois dias antes. Como faria para almoçar? Era proibido sair do Éden de uniforme. As regras eram rígidas. Tão rígidas quanto meus dedos dentro dos sapatos.

Mas, talvez por estar deprimida, não tinha fome nem ânimo para me trocar ou ir almoçar no refeitório. De repente, olhei para a porta que dá para a escada de emergência. Fiquei imaginando se seria possível abri-la.

Quando coloquei a mão na maçaneta, ela se abriu com um rangido. Pensando bem, era mais do que natural uma porta de saída de emergência se abrir com facilidade.

O vento entrou. E eu saí como se estivesse fugindo.

– Ah!

– Ah!

Exclamamos ao mesmo tempo. Ali estava Kiriyama, sentado na mureta.

– Fui descoberto!

Kiriyama disse isso sorrindo enquanto tirava os fones sem fio do ouvido. Devia estar escutando música no celular. Tinha um livro em uma das mãos e ao seu lado uma garrafa pet com chá e dois pacotinhos redondos embrulhados em papel-alumínio.

– O que aconteceu para você aparecer assim aqui? – perguntou ele.

– Eu que pergunto.

– Eu já tenho cadeira cativa aqui. Venho quando quero ficar sozinho. Além disso, hoje está um clima agradável para um dia de outono.

Dizendo isso, Kiriyama apontou para os pacotinhos.

– Quer um onigiri? Se não se importar que tenha sido preparado por mim.

– Você mesmo fez?

– Ahã. Acabei de comer o mais gostoso, de salmão. Qual você prefere? Tem com ovas tarako grelhadas e com alga kombu.

De repente, senti um vazio no estômago. E pensar que até há pouco estava sem fome alguma!

Kiriyama me convidou a sentar e me acomodei ao lado dele.

Ele me deu um pacotinho e, ao rasgar o papel-alumínio, o onigiri apareceu, envolto em filme plástico, que também tirei.

– Quer dizer então que você cozinha?

– Tive que aprender na marra – respondeu ele, lacônico.

Dei uma mordida. O sal estava no ponto certo. Uma delícia. A combinação magnífica das ovas carnudas com o arroz bem compactado. O rosa-claro delas enlaçado no branco do arroz. Em silêncio, me concentrei em comer com gosto.

– Fico feliz vendo você comer com tanto apetite.

Kiriyama riu. Fui tomada de um súbito ânimo. E me espantei com essa energia repentina.

– O onigiri está fantástico.

– Viu só? Está bom mesmo!

Fiquei um pouco surpresa com a reação dele. Ele notou e me disse:

– Comer bem é importante! Trabalhar bem e comer bem.

Sua voz estava carregada de emoção.

– Por que você saiu da editora? – perguntei.

Kiriyama começou a rasgar o papel-alumínio do seu onigiri.

– Não era uma editora, e sim uma prestadora de serviços editoriais com cerca de dez funcionários.

Eu achava que era uma editora, mas realmente existem muitos tipos de empresa e trabalhos. Tem tanta coisa que eu desconheço!

– Não fazíamos só revistas, mas um pouco de tudo. Flyers e panfletos também, entre outras coisas. E começamos até a produzir vídeos. O presidente era impulsivo e aceitava muitos trabalhos. Na prática era eu quem os executava e isso me exauria. Fazer hora extra era normal. Uma vez cheguei a estender meu casaco no chão da empresa e dormir ali mesmo.

Ele riu e de repente seu olhar ficou distante.

– Mas eu acreditava que isso era natural nesse ramo – prosseguiu. – E eu me achava o máximo por estar trabalhando em uma empresa de produção editorial... Mas só estava me enganando.

Depois disso, Kiriyama se calou e deu três mordidas no onigiri. Eu também permaneci em silêncio.

– Também não tinha tempo para comer e minha saúde estava piorando por causa dos energéticos que eu tomava direto. Um dia olhei para o monte de garrafas vazias à minha volta e me perguntei por que eu continuava naquele trabalho.

Kiriyama enfiou na boca o último pedaço do onigiri.

— Eu precisava do emprego para comer, mas por causa dele eu não conseguia me alimentar. Comecei a enxergar o ridículo da situação.

Ele amassou o papel-alumínio murmurando "Estava uma delícia". Depois se virou para mim e disse, alegre:

— Agora estou vivendo como um ser humano! Me alimento direito, durmo bem e me sinto alegre de verdade lendo revistas e livros que antes só conseguia ver de um ponto de vista estratégico. Coloquei minha vida em ordem, e minha saúde está melhorando.

— Produzir uma revista deve ser uma tarefa difícil então.

— Sim, mas nem todas as empresas são iguais! Tive azar de justo a minha ser daquele jeito.

Ele agitou as mãos como se quisesse mostrar que eu estava errada. Talvez ele tivesse dito isso para evitar que eu fizesse prejulgamentos. Ele devia gostar de trabalhar com revistas. Foram as condições penosas de trabalho que destruíram esse sentimento dentro dele.

— Além disso, eu não tenho a intenção de desmerecer a empresa ou os funcionários que trabalham duro nela. Aquela forma de trabalhar pode combinar com alguém com um bom autocontrole, e acho que tem gente que pode obter uma sensação de satisfação se entregando de corpo e alma ao trabalho. Mas não é o meu caso.

Kiriyama bebericou seu chá.

— Mas ótica é um ramo bem diferente. Você não ficou com medo de não gostar? — perguntei um pouco relutante.

— Um tempo atrás, escrevi um artigo sobre óculos para uma edição especial da revista. Na época, realizei pesquisas minuciosas. Eu me interessei por óculos, e foi isso o que me levou a tentar entrar nessa empresa. Na entrevista, o recrutador disse que por acaso tinha lido aquele artigo, e a conversa fluiu às mil maravilhas. Por coincidência, o designer de óculos que eu tinha entrevistado era um conhecido dele.

Kiriyama continuou falando com empolgação:

– Não é o tipo de coisa que se possa planejar. Portanto, pensei que precisava me concentrar com seriedade no que eu tinha diante de mim. Talvez a minha experiência anterior me ajudasse nesse novo trabalho. Para ser sincero, apesar de ter mudado para a Zaz, não acho que meu futuro esteja traçado. Mesmo se estivesse, não tenho garantia de que vai ser da forma que eu gostaria. Apenas...

Ele se interrompeu e depois retomou:

– Neste mundo onde não se sabe o que pode acontecer amanhã, eu dou o melhor de mim agora.

Ele parecia dizer isso a si próprio e não a mim.

* * *

Quando retornei do intervalo, Uejima não estava.

Perguntei a vários colegas, e descobri que ele tinha saído dizendo que precisava verificar com urgência o estoque de mercadorias. Imaginei que estivesse fugindo.

Passava um pouco das duas da tarde quando a tal cliente reapareceu.

– Cadê seu chefe?

Meu corpo enrijeceu. Eu não poderia receber de volta a mercadoria e não sabia o que fazer para convencê-la disso. Mas o jeito era enfrentá-la. O que eu "tinha diante de mim" agora era cuidar daquilo.

Nesse momento, Numauchi, que deveria estar no caixa, veio se colocar com discrição do meu lado.

– Boa tarde, senhora. Em que posso ajudar?

Acreditando que Numauchi era minha chefe, a mulher começou a desfiar seu rosário de reclamações. Eu era, sem sombra de dúvida, a vilã da história. Com uma expressão séria, Numauchi concordava com "Ah", "Sim" ou "Entendo" até a mulher se acalmar. Depois de ela esgotar todo o seu estoque de palavras, Numauchi explicou com serenidade:

– É natural o produto encolher depois que é lavado na máquina. Posso imaginar o susto que a senhora levou.

O semblante da cliente mudou. Numauchi virou o suéter pelo avesso e mostrou a ela a etiqueta com as instruções de lavagem. A ilustração de uma mão dentro de um balde significava "Lavagem à mão".

– Isso também acontece com frequência comigo! Jogo a roupa na máquina de lavar sem ler direito a etiqueta.

– Ah... eu...

A cliente gaguejava. Numauchi prosseguiu, jovial:

– Tem um jeito de fazer a roupa recuperar sua forma original. Coloque um pouco de amaciante diluído em água quente em uma bacia e mergulhe o suéter nela. Retire imediatamente, torça, estique e pronto, depois é só secar.

Sua explicação foi bem clara.

– Esse suéter é muito popular e o seu foi o último dele em nosso estoque. Essa cor, magenta, é bastante procurada e a textura do tecido é especial.

– Magenta?

O rosto da cliente de súbito relaxou.

– Isso, é o nome da cor.

O suéter vermelho-púrpura de repente se tornou uma tendência de moda!

– Ele é básico e dá para combinar com várias roupas. A gola é elegante e essa cor pode ser usada até o início da primavera.

– Ele volta ao formato original com o amaciante?

– Volta. Creio que sem problema. Por favor, use-o com carinho por bastante tempo.

Numauchi dominou por completo o fluxo da conversa.

Sem a menor dificuldade, ela convenceu a cliente insatisfeita a ficar com o suéter.

– Se desejar, a senhora pode me passar o seu número de telefone para que um encarregado entre em contato para saber se o problema foi resolvido – disse Numauchi, incisiva, baixando de leve o tom de voz e mantendo o semblante sorridente.

Ela não se esqueceu de pressionar um pouquinho.

– Não, não há necessidade – disse a cliente, parecendo um pouco intimidada.

Foi maravilhoso.

De fato, eu não estou à altura dela.

Numauchi continuou a conversar com simpatia, e a cliente, parecendo ter baixado a guarda, começou a falar com alegria sobre si própria.

Contou ter comprado o suéter para usar em um jantar com uma amiga que não via, talvez, havia uns dez anos; que era difícil para ela ir de trem até um local distante; que ficava nervosa ao entrar em lojas de departamentos; e que não tinha autoconfiança na escolha de roupas, então sempre precisava de ajuda.

Depois de me pedir para ir ficar no caixa, Numauchi recomendou à cliente uma echarpe e a ensinou até a fazer um laço. A cliente a comprou. Mesmo de longe, vi que a echarpe combinava bem com a senhora e seu suéter magenta.

No dia do jantar, com certeza ela daria um laço na echarpe e se olharia toda contente no espelho antes de sair.

Numauchi fez um trabalho incrível, pensei com sinceridade.

Eu me enganei por completo ao julgar a ocupação de uma vendedora de roupas femininas no Éden "um trabalho insignificante". Eu apenas não estava dando importância suficiente ao meu trabalho. Simples assim.

Quando a cliente me procurou, eu desejava descansar e não a atendi com todo o meu coração. Sem dúvida, ela sentiu isso.

Ao receber no caixa a sacola com a echarpe, ela me agradeceu sorrindo e partiu. Era o rosto alegre de quando se faz uma boa compra.

Ao lado de Numauchi, que fazia um cumprimento à cliente, eu também abaixei a cabeça.

Após me certificar de que a cliente não estava vendo, me inclinei ainda mais diante de Numauchi, em uma reverência. Ela me salvou. De verdade.

– Obrigada!

Ela sorriu para mim.

– Clientes como essa senhora precisam se sentir ouvidas e compreendidas – disse ela.

Lembrei de quantas vezes eu tinha pensado mal de Numauchi. Talvez eu a visse como alguém inferior por trabalhar aqui na loja há tantos anos. Eu era jovem, aquele era apenas um trabalho temporário para mim. Acho que isso me fazia olhar para ela com um ar de superioridade. Que ridículo.

Fiquei tão envergonhada que senti vontade de esconder o rosto.

– Ainda tenho muito a aprender – disse, cabisbaixa.

Numauchi balançou a cabeça de um lado para o outro.

– No começo eu também era assim. A gente vai aprendendo com o passar do tempo.

Numachi tinha doze anos de experiência na equipe rosa-coral. No fundo do meu coração, eu a achei "fantástica".

※ ※ ※

Quando terminou meu expediente, me troquei e pensei em dar uma passada na seção de alimentos do Éden. Inspirada por Kiriyama, pretendia cozinhar algo.

Só não sabia o que preparar. A princípio, talvez um macarrão ou algo assim. Como não sabia muito sobre temperos, era bem capaz de só comprar um molho pronto para levar para casa.

Ao colocar a mão no bolso do casaco senti algo macio lá dentro. Era a frigideira de feltro de lã. Estava ali desde que a recebera de Komachi.

É isso! Vou tentar fazer o pão de ló de *Guri e Gura*!

* * *

Entrei no McDonald's em frente à seção de alimentos e, enquanto tomava um café de 100 ienes, procurei na internet receitas de pão de ló.

Digitando "pão de ló de Guri e Gura" eu me surpreendi com a quantidade de receitas e blogs que apareceram. Havia um enorme número de pessoas fascinadas pelo livro experimentando cozinhar o tal pão de ló.

Era preciso peneirar a farinha, separar as gemas das claras, bater as claras em neve até ficar no ponto de merengue... Só de ler eu desanimei de cara, mas à medida que acessava diversos sites percebi que não precisava necessariamente ser dessa forma. As quantidades dos ingredientes e a maneira de preparar variavam de receita para receita. Uma delas era bastante simples, com apenas algumas linhas. Nada de peneirar farinha ou separar gemas e claras. A explicação era: "Criei esta receita procurando ser o mais fiel possível ao livro." Nesse caso, até eu conseguiria fazê-la.

Eu estava empolgada e empenhada em preparar o pão de ló. Isso era o melhor de tudo.

* * *

Eu precisava de uma frigideira, uma tigela e um batedor de claras.

Três ovos, 60 gramas de farinha de trigo, 60 gramas de açúcar, 20 gramas de manteiga, 30 mililitros de leite.

O ideal seria uma frigideira com cerca de 18 centímetros de

diâmetro com tampa. Além disso, embora não estivesse escrito, era necessário também uma balança e um copo medidor.

O mais embaraçoso é que eu não tinha quase nada disso em casa.

E...

O mais incrível é que tudo isso podia ser encontrado no Éden!

* * *

Fazia tempo que não me via de pé na cozinha preparando alguma coisa.

Quebrei os ovos em uma tigela, adicionei o açúcar e misturei com o batedor de claras. Acrescentei a manteiga derretida e o leite. Nesse momento, subiu um aroma doce. Nem acreditei que eu estava preparando um bolo!

Em seguida, precisava juntar a farinha de trigo e misturar. Bater a mistura provocando ruído dentro da tigela fez parecer que era uma tarefa muito complexa.

Levei a frigideira ao fogo e, depois de untá-la com manteiga, derramei a massa. Tampei e deixei cozinhar lentamente em fogo bem baixo. Bastava esperar meia hora, checando de vez em quando. Por sorte meu fogão de apenas uma boca é a gás. Parecia que ia dar certo.

Quem diria que na minha estreita cozinha eu poderia cozinhar com tanta facilidade um pão de ló!

Eu sou mesmo fantástica!, pensei.

Eufórica, apertei as mãos. Elas estavam sujas de farinha e fui até o banheiro lavá-las.

Abri a torneira e espiei de relance o espelho. Cravei os olhos no reflexo do meu rosto.

Minha pele estava um horror, porque eu só comia lámen instantâneo e pãezinhos recheados da loja de conveniência. Era triste ver na minha geladeira quase vazia apenas temperos vencidos havia séculos. A falta de sono deixava meu rosto sem cor e me sugava toda a energia.

Não era apenas a alimentação. Havia muita poeira pela casa, as janelas estavam embaçadas de sujeira. A roupa lavada estava pendurada pela sala porque eu tinha o costume de pegar as peças no varal e pô-las direto no corpo. Na estante, havia um monte de tranqueiras espalhadas. Frascos de esmalte endurecido, revistas de programas de tevê de três meses atrás, um DVD de ioga comprado por impulso havia seis meses ainda lacrado.

Que vida insalubre eu tinha vivido até agora. Eu não me preocupava com os alimentos que ingeria nem com o ambiente ao meu redor, e deixava de cuidar de mim mesma. Em um sentido um pouco diferente de Kiriyama, eu também não vivia "como um ser humano".

Depois de lavar bem as mãos, fiz uma limpeza rápida no apartamento enquanto esperava o pão de ló ficar pronto. Dobrei a roupa lavada e passei o aspirador de pó. Uma vez tendo começado, meu corpo pegou no tranco. Cheguei a ficar frustrada por ter terminado a faxina tão rápido. No cômodo bem-arrumado flutuava um aroma doce. Voltei à cozinha e a massa amarela do pão de ló havia começado a inflar e quase colava na tampa de vidro.

– Fantástico!

Sem pensar, gritei de alegria. Como na ilustração do livro, o pão de ló crescia de verdade.

De tão alegre ergui a tampa. A borda do bolo já estava solidificando. Como no centro se formavam bolhinhas e metade da massa ainda estava meio líquida, voltei a tampar.

Talvez eu esteja me aproximando um pouco mais da vida de um ser humano. Fiquei aliviada ao pensar nisso.

Eu me sentei encostada à parede e abri *Guri e Gura*.

Os dois ratinhos partiram em direção ao bosque.

– Depois de enchermos o cesto com nozes, vamos cozinhá-las com bastante açúcar – disse Guri.

– Depois de enchermos o cesto com castanhas, vamos cozinhá-las até ficarem bem macias para formar um creme – disse Gura.

Respirei fundo.

Guri e Gura não entraram no bosque à procura de ovos para preparar um pão de ló.

Eles foram apenas recolher nozes e castanhas, como deviam estar acostumados a fazer.

E ali encontram por acaso um ovo grande, muito grande.

Eu me lembrei de Saya ter dito que "alguém que não sabe o que fazer com um ovo jamais pensaria nisso".

Realmente. Ela tinha razão.

Quando os ratos encontraram o ovão, eles já conheciam a receita do pão de ló.

Meu coração bateu forte por ter compreendido.

Com as emoções aflorando, voltei à cozinha. O aroma flutuando ali estava levemente perfumado.

Abri a tampa e prendi a respiração.

A parte do meio que devia estar fofinha havia solado. A extremidade da massa tinha transbordado da frigideira e virado carvão.

Meio atordoada, transferi com uma espátula o pão de ló para um prato. A parte de baixo dessa coisa que não cresceu na vertical, mas se espalhou na horizontal, estava queimada. Uma vez tirada da frigideira ela murchou e achatou ainda mais.

– Mas o que houve? – disse eu em voz alta.

Peguei um pedaço e tentei comer. Não estava nem um pouco parecido com um pão de ló, mas pegajoso e duro que nem borracha.

Onde foi que errei? Segui a receita à risca!

Enquanto mastigava a massa muito desagradável, comecei a rir da situação.

Não fiquei triste. Até achei divertido. A casa arrumada e os utensílios de cozinha dentro da pia me ajudaram a não me sentir tão mal.

Não vou desistir!

Vou aprender como fazer.

* * *

Durante uma semana, ao voltar para casa depois do trabalho, me concentrei em fazer o pão de ló. A tarefa passou a fazer parte da minha rotina.

A partir das informações reunidas na internet, descobri algumas coisas que podiam ajudar.

Usar os ovos em temperatura ambiente. Enquanto estiver cozinhando, colocar a frigideira por vezes sobre um pano molhado para fazer baixar um pouco a temperatura.

Essas técnicas serviram para melhorar bastante o resultado. Mas ainda não ficava fofinho como eu imaginava. A essa altura, as tarefas que achei complicadas na primeira vez – "peneirar a farinha" e "separar as gemas das claras e preparar um merengue" – já não me pareciam tão árduas.

Então comprei uma peneira. Foi uma batalha preparar o merengue, mas a massa ficou com uma textura fina e agradável. No entanto, ainda não era suficiente. Brotou em mim o desejo de aprimorar um pouco o nível do produto final. Acabei decidindo comprar uma batedeira. Afinal, eu queria preparar um lindo merengue.

De tanto praticar, passei a conhecer instintivamente a intensidade do fogo e o momento exato do resfriamento. O que eu havia considerado de início "fogo baixo" ainda era forte. Essa "técnica" se aprende com a experiência.

"A gente vai aprendendo com o passar do tempo."

Era exatamente a isso que Numauchi se referia.

Houve mais uma mudança. Estando na cozinha para preparar o pão de ló, comecei a aproveitar o tempo para preparar o jantar, mesmo sendo algo trivial. Comparado com a habilidade requerida na preparação do bolo, cortar legumes e carne para fritar ou cozinhar era algo simples e fácil de fazer. A panela elétrica cozinhava um arroz delicioso. O que sobrava dos acompanhamentos eu guardava em potinhos e fazia onigiri para comer no intervalo do trabalho, o que deixou Kiriyama muito impressionado quando viu. Eu também fiquei impressionada. A mudança de atitude em tão poucos dias serviu para animar a olhos vistos meu corpo e minha mente.

E hoje, no sétimo dia, no instante em que entrei na cozinha pressenti que iria dar certo.

Pensando em tudo que aprendi com meus erros e acertos, tentei mais uma vez.

Depois de alguns minutos, retirei a tampa e assenti, satisfeita.

– Meu pão de ló amarelo e fofinho começou a aparecer – disse eu em voz alta.

Assim como no livro, comi direto da frigideira.

Estava macio e delicioso.

Eu havia conseguido. Um pão de ló que faria os habitantes do bosque revirar os olhos.

Os meus estavam rasos de água. Então, tomei uma decisão.

A partir de agora vou cuidar direitinho da minha alimentação.

※ ※ ※

– Está maravilhoso! – exclamou Kiriyama com sincera admiração quando lhe ofereci o pão de ló.

Recebi o elogio de bom grado. Queria ver o semblante sorridente dele. Desejava agradecer-lhe pelo onigiri. Ao perceber que talvez tivesse sido esse o motivo do meu empenho, me regozijei um pouco.

Mas não era só para ele.

De volta ao vestiário, ofereci um pedaço do pão de ló a Numauchi. Agradeci a ela por ter me ajudado daquela vez.

– Tentei imitar o pão de ló do *Guri e Gura* – expliquei.

Ao ouvir isso, Numauchi soltou uma gargalhada.

– *Guri e Gura*! Eu adorava esse livro quando era pequena, li não sei quantas vezes.

– Nossa! Quando você era pequena?

Vendo meus olhos arregalados de espanto, Numauchi fez um beicinho.

– Claro. Acredite ou não eu já fui pequena um dia!

É verdade. Embora eu não conseguisse imaginar.

Livros infantis possuem uma força notável e duradoura. *Guri e Gura* formou sucessivas gerações de leitores, sem nunca precisar mudar.

Numauchi contemplava o vazio como se refletisse sobre algo.

– O que eu amo nesse livro é que nada sai do jeito esperado.

– É isso que você entende da história?

Inclinei a cabeça de lado e Numauchi assentiu com um movimento expressivo.

– Sim! Eles se confrontam com vários problemas, um após o outro. O ovo era grande e liso demais, não dava para carregar, e de tão duro não quebrava. A frigideira não cabia na mochila...

Quando falei sobre *Guri e Gura* com Kiriyama, ele disse: "É a história dos animais do bosque que se reúnem para comer um bolo, não é?" Apesar de ser uma história curta, cada pessoa tem uma visão diferente dela. Interessante.

Numauchi continuou, animada:

– Então, os dois conversam sobre como agir e colaboram um com o outro.

E, voltando-se em minha direção, sorriu.

– Trabalho é isso. Colaboração.

＊ ＊ ＊

Como quarta-feira era minha folga, fui até a biblioteca no Centro Comunitário. Pretendia devolver os livros que tinha pegado emprestados. Duas semanas exatas se passaram desde aquele dia.

Passei uma fita pelo anel metálico da frigideira que havia recebido de brinde e a pendurei na minha bolsa. Tinha virado um amuleto para mim.

Depois de devolver os livros a Nozomi no balcão, fui até o local onde ficava Komachi.

Como da vez anterior, ela estava atrás do balcão em L trabalhando empenhada com a agulha. O tufo de lã ia ganhando forma à medida que ela o espetava repetidas vezes.

Eu me postei diante dela, que interrompeu o movimento das mãos. Inclinei o corpo, cumprimentando-a.

– Muito obrigada. Pelo *Guri e Gura* e pela frigideira... Você me ensinou coisas importantes.

– É?

Ela inclinou a cabeça e me olhou com uma expressão indiferente. E prosseguiu com uma voz sem inflexão:

– Não fiz nada. Você obteve por si mesma o que precisava.

Apontei para a caixa laranja.

– Esses biscoitos são deliciosos, não são?

Nesse momento, ela enrubesceu e sua expressão se suavizou.

– Eu adoro. São ótimos, não acha? Não há quem não goste deles.

Assenti com vivacidade.

* * *

Estava na minha hora.

Saí da biblioteca e me dirigi à aula de informática.

Eu havia entrado no bosque.

Ainda não tenho certeza das minhas capacidades e dos meus desejos. No entanto, estou sem pressa e sei que não preciso ir além dos meus limites.

Agora, enquanto coloco minha vida em ordem, vou crescer a partir do que sou, fazendo o que estiver dentro das minhas possibilidades. Eu estava me preparando para este momento. Do mesmo jeito que Guri e Gura recolhendo castanhas bosque adentro.

Porque, afinal, nunca se sabe quando vamos encontrar um ovo gigantesco.

Ryo, 35 anos, contador em uma fábrica de móveis

Tudo começou com uma colher.

Pequena, prateada, com a ponta do cabo no formato de uma tulipa.

À mostra sobre uma prateleira, por algum motivo, ela me chamou a atenção e eu a peguei. Olhando com cuidado, vi gravado no cabo o desenho de um carneiro. Pelo tamanho, devia ser uma colher de chá. Eu a admirei absorto por um instante e, o tempo todo com ela na mão, percorri o interior da loja mal iluminada.

Muitos objetos de aparência antiga se amontoavam no recinto estreito. Relógios de bolso, castiçais, garrafas de vidro, amostras de insetos, ossos de algum animal. Parafusos e pregos, chaves. Objetos sem interesse mantidos preservados no transcorrer do tempo, inertes sob a luz de lâmpadas nuas.

Na época eu estava no ensino médio, e, por causa das brigas com minha mãe ao sair de manhã, não queria voltar para casa depois das aulas. Por isso, descia do trem uma estação antes da minha e ficava zanzando por um tempo.

Nesse lugar afastado do distrito comercial, na periferia de Kanagawa, essa loja se destacava em meio às residências. Na placa de pé ao lado da porta se lia seu nome em japonês e, no cantinho, em letras romanas: "Enmokuya". Olhando as mercadorias através da porta envidraçada, imaginei ser um antiquário. Resolvi entrar.

No balcão do caixa, um senhor de rosto alongado, com um gorro, tinha ares de dono. Assim como ocorre em lojas antigas, ele tinha um jeito antigo. Durante todo o tempo em que estive no interior da loja, ele remontava um relógio e consertava uma caixinha de música sem se importar com a minha presença.

Enquanto percorria o recinto, o calor do meu corpo se transmitiu para a colher que eu segurava bem aninhada na mão. Hesitei antes de comprá-la, pois custava 1.500 ienes. Ignorava seu real valor, mas gastar esse dinheiro em uma colher era bastante para um adolescente. Mesmo assim, não suportava a ideia de devolvê-la à prateleira; era incapaz de me separar dela.

– É prata pura! Uma colher de chá de fabricação inglesa.

– De que época é?

Assim que perguntei isso, ele colocou os óculos, pegou a colher da minha mão e olhou-a fixamente.

– Mil novecentos e cinco.

Imaginei que estivesse gravado no verso. Porém, ao verificar, não havia números, apenas quatro gravuras misturando letras e desenhos.

– Como o senhor sabe?

O senhor deu uma risada.

Ele não respondeu à pergunta, mas sua expressão me fascinou. Tinha um semblante alegre.

Era visível quanto ele gostava de antiguidades. E tinha muita confiança em seu olhar de avaliador. Achei legal essa loja e o dono. Muito.

Voltando para casa imaginei várias coisas ao admirar a colher.

Quem a teria utilizado na Inglaterra da década de 1900? Como? O que teriam comido com ela?

Talvez a colher acompanhasse uma xícara quando uma dama da aristocracia desfrutava seu chá da tarde. Quem sabe uma mãe gentil levava sopa à boca do filho pequeno. Esse menino talvez tivesse guardado a colher mesmo após crescer e se tornar adulto. Ou talvez fosse uma colher tão adorada que se tornou motivo de brigas entre três irmãs. Ou, quem sabe...

Minha imaginação viajava sem limites. Não me cansava de olhar para a colher.

Depois disso, fui várias vezes à Enmokuya depois da escola.

O dono se chamava Ebigawa. No outono e no inverno usava um gorro de lã; no verão e na primavera, um de algodão ou linho. Ele adorava gorros.

Comprei vários pequenos objetos na medida em que minha mesada permitia. Para infelicidade do sr. Ebigawa, em alguns dias eu só dava uma olhada nas coisas e não comprava nada. Quando estava naquele espaço, esquecia por um tempo as dificuldades cotidianas. Os aborrecimentos da escola, as broncas da minha mãe, meu futuro incerto. Por mais que a realidade me fizesse sofrer, ao abrir a porta daquela loja um universo fantástico me acolhia.

Aos poucos comecei a conversar com o sr. Ebigawa e os clientes regulares da loja e aprendi muita coisa sobre a história e o jargão do mundo das antiguidades.

Foi ele quem me ensinou que a gravação no verso da colher é chamada *hallmark*, após cerca de um ano de visitas frequentes. Os quatro sinais gravados indicavam o fabricante, o grau de pureza, a prova do objeto ter sido devidamente inspecionado e o ano de fabricação.

– Esse N inserido em um quadrado significa 1905.

A data podia ser identificada não por números, mas pela combinação da letra do alfabeto em estilo cursivo e seu enquadramento. Talvez não anotar o ano, algo destituído de refinamento, se devesse ao bom gosto dos ingleses.

– O desenho do carneiro deve ser um brasão, ou apenas parte dele.

Depois de ouvir isso, a colher ganhou ainda mais importância para mim. O carneiro não era apenas uma ilustração bonita. Senti naquela colher de chá o peso e a dignidade de toda uma linhagem familiar.

Que magníficos sonhos românticos devem estar incorporados nela. Fui tragado pelo mundo das antiguidades e sentia um grande respeito pelo sr. Ebigawa.

Mas agora essa loja desapareceu do mapa.

Pouco antes de me formar no ensino médio, ao visitá-la uma vez como de hábito, encontrei um papel escrito à mão pregado na porta: "Encerramos nossas atividades." Minha relação com o sr. Ebigawa foi interrompida num piscar de olhos.

Nos últimos dezoito anos, o local já foi um salão de cabeleireiro, uma padaria e agora virou um estacionamento com vagas para apenas cinco carros.

Não posso mais cruzar aquela porta e visitar a loja.

Por isso, pensei em um dia abrir um antiquário parecido.

Mesmo hoje, com 35 anos, esse desejo continua vivo em meu coração.

Vou poupar dinheiro, pedir demissão da empresa, encontrar um local, reunir mercadorias. Um dia, um dia.

Mas quando afinal chegará esse "um dia"?

*　*　*

Depois de me formar na universidade, saí de casa, aluguei um apartamento na cidade e comecei a trabalhar na contabilidade de uma fábrica de móveis. A empresa é pequena e não lida com produtos luxuosos, concentrando-se em móveis mais simples de preços módicos e demanda constante. A gestão da empresa é estável.

– Como se faz isso mesmo? – perguntou Tabuchi, o gerente do departamento. Ele girou o corpo na diagonal em seu assento atrás de mim, me olhando.

Recentemente, um novo software foi instalado em toda a empresa e o gerente parecia não saber bem como usá-lo. Quando se deparava com alguma dificuldade, vinha me perguntar. Parei de verificar as despesas e me levantei.

De pé atrás dele, ensinei como fazer, embora ontem ele tivesse me perguntado a mesma coisa.

– Ah... ah... então é assim! – disse ele em voz alta. – Obrigado pela ajuda! Você trabalha bem, Urase! – Fez esse elogio mexendo com exagero os lábios grossos.

Voltei para minha mesa e retomei o trabalho.

Eu não detestava lidar com números. O departamento de contabilidade, mais do que movimentar a economia dos negócios, trabalhava com sua regularização fiscal. Sem dificuldades ou desafios. Digamos que se trata de um campo árido e relativamente simples, já que é um tipo de trabalho que não necessita de nenhuma paixão ardente.

– Urase, que tal tomarmos uma cerveja amanhã naquele bar aonde fomos mês passado? Parece que estão fazendo uma promoção em comemoração aos três anos de funcionamento.

– Desculpe, mas amanhã estou de folga – respondi, olhando para o maço de recibos em minhas mãos.

– Ah, tem razão, tem razão.

Fiquei aliviado de ter uma justificativa para rejeitar a proposta. Tabuchi fala pelos cotovelos e beber com ele é bem chato. Por outro lado, não tenho coragem de recusar todos os convites de meu superior, com quem convivo todos os dias. Estávamos no início de dezembro e em breve começariam as festas de final de ano. Aí não vou ter como fugir. Mas, por enquanto, quero evitar ao máximo esses encontros.

Tabuchi girou a cadeira na minha direção.

– Vai sair com a sua garota?

– É, é por aí.

– Opa. Acertei na mosca.

Ele deu um tapinha na testa de forma teatral. Ri, mas não porque achei engraçado. Não devia ter dito nada. Tabuchi sorriu apontando o queixo em minha direção.

– Vocês namoram faz tempo. Pretendem se casar?

– Ei, esse cálculo está errado! Konno, do departamento de vendas, sempre erra e preciso pedir a ele para corrigir. – Mudei de assunto fingindo falar comigo mesmo e dirigi a Tabuchi um riso forçado.

– Muita gente tem dificuldades com o formulário de despesas, não?

Ele também riu e se posicionou novamente em frente ao seu computador.

O telefone do ramal tocou. Sentada diante de mim, Yoshitaka atendeu de má vontade. Ela tem 20 anos e foi admitida há pouco tempo.

– Urase, telefone para você – anunciou depois de apertar o botão de espera.

– Pra mim? Quem é?

– Não entendi o nome. É um homem.

– Obrigado.

Puxei a ligação. Era do departamento de negócios internacionais. Queriam uma proposta orçamentária para uma nova importação de móveis da Inglaterra. Apesar de o gerente ser Tabuchi, muitas vezes as pessoas de outros departamentos por algum motivo vêm me consultar sobre tudo. Talvez se aproveitem da minha timidez para me dar ordens.

Deixei a chamada em espera e perguntei a Tabuchi:

– Você elaborou a proposta orçamentária para a marca inglesa? O pessoal de negócios internacionais precisa dela para uma reunião amanhã.

– Ah, sim, aquele caso. Eu não entendi direito o que preciso fazer. Meu inglês não é tão bom quanto o seu.

Seu olhar suplicante me fez suspirar por dentro.

– Tudo bem! Eu me encarrego disso.

– Desculpe. Na próxima eu pago a bebida.

Tabuchi gesticulou como se estivesse com um copo na mão.

Enquanto isso, Yoshitaka cortava as pontas dos cabelos.

Em geral, eu podia suportar o fato de meu chefe ser incompetente e minha subordinada, desmotivada. Porém, nessas horas, tudo o que me passava pela cabeça era me demitir.

Sou péssimo em me relacionar com pessoas, mas tive a sorte de ser designado para a contabilidade, conforme desejava, e não para a área comercial. No entanto, sei que, independentemente de onde eu esteja, uma vez dentro da estrutura corporativa, terei que lidar com outras pessoas.

Como eu seria feliz se largasse esse emprego e tivesse minha loja somente com os objetos que amo... Conversaria apenas com clientes apaixonados por antiguidades, assim como eu.

Só que me demitir nesse momento é impensável. Tenho poucas economias na poupança e estou sempre muito ocupado. Com tantos afazeres, não consigo ter tempo para estudar e me preparar para abrir um negócio.

Quando poderei ter minha própria loja de antiguidades?

Tudo o que sei agora é que esta noite precisarei fazer inúteis horas extras.

※ ※ ※

No dia seguinte, uma quarta-feira, fui buscar Hina, minha namorada, em sua casa. Ela mora em um bairro residencial bem tranquilo.

Ela estava olhando pela janela do seu quarto. Quando me viu, gritou meu nome.

– Ryo!

E logo voltou para dentro do quarto. Sem apertar a campainha, esperei por ela no jardim, mas quem apareceu na entrada foi sua mãe.

– Ryo, quanto tempo! Como vai?

– Boa tarde.

– Quer jantar com a gente hoje à noite?

– Ah… Obrigado por me convidar. Fico feliz.

– Não precisa agradecer! Meu marido também adora quando você aparece. Você prefere peixe ou carne? A Hina só come carne, então aproveito essas ocasiões para fazer algum prato com peixe…

Hina veio correndo.

– Mãe, chega de alugar o Ryo!

Ela me tomou pelo braço. Recendia a baunilha, da sua água de colônia.

Com a mão livre, Hina acenou para a mãe, se adiantando e me puxando.

Há uma diferença de dez anos entre nós. Ela ainda tem 25.

Nós nos conhecemos três anos atrás em uma praia de Kamakura. Depois de visitar uma feira de artigos usados no átrio de um templo, eu passeava pela praia de Yuigahama quando notei uma moça agachada à beira-mar à procura de algo.

Como sua expressão era muito séria, perguntei se ela havia deixado cair algo importante.

– Estou recolhendo vidros marinhos – respondeu.

Ela coletava pedaços de vidro lançados pelo mar na praia. Esses vidros vêm de locais distantes, polidos pelas ondas durante um longo tempo, o que os transforma em objetos de arte criadas pela natureza. Chegam à beira-mar vindos de países estrangeiros.

Ela parecia reuni-los para fazer peças de bijuteria. Dentro de um pote havia vidros verdes e azuis, conchas e estrelas-do-mar secas.

– Acho romântico pensar que os vidros marinhos são pedaços de objetos utilizados por alguém, em algum lugar, em alguma época. Quando penso que já pertenceram a outra pessoa, minha imaginação ganha asas.

Exatamente como eu, pensei.

Ela se parece comigo. Seu olhar, sua sensibilidade, sua visão de mundo.

Também me agachei e vi um monte de coisas na areia. Algas secas, pedaços de madeira, pedras. Também um pé de sandália, sacolas de plástico, tampinhas variadas... Objetos artificiais que podemos chamar de lixo. Pensando bem, a praia era uma gigantesca vitrine de velharias.

No meio de tudo isso, descobri um pedaço pequeno de vidro marinho. Era vermelho e tinha o formato de uma vagem.

– Pode ficar com este, se quiser – falei, entregando-lhe o objeto.

Ela arregalou os olhos e soltou uma exclamação.

– Que lindo! Os vermelhos são raros. Estou muito contente, obrigada.

– De nada – respondi, assenti e me afastei às pressas.

A alegria dela era tão atraente que me senti constrangido. Bem, às vezes acontecem encontros fortuitos como aquele, foi tudo o que pensei naquele momento.

Porém, as coisas não terminaram ali.

No fim de semana seguinte, voltamos a nos esbarrar por acaso no mercado de antiguidades no centro de exposições Tokyo Big Sight. Em meio a inúmeras lojas e a uma profusão de visitantes, foi um verdadeiro milagre encontrá-la. Fico sem jeito de dizer isso, mas tinha a impressão de que ela brilhava.

Eu a cumprimentei justo no momento em que ela realizava uma compra. Foi um ato involuntário. Ela também se espantou, e, depois de conversarmos um pouco, eu a convidei para tomar um chá. Para ser sincero, essa foi a primeira iniciativa que tomei com uma garota em toda a minha vida. Até hoje me assusto com aquela coragem.

Temos a mesma paixão por objetos antigos. Visitamos juntos várias lojas e eventos de antiguidades.

– Um dia gostaria de abrir uma loja com você – falei.

Hoje em dia, quase não conversamos sobre isso. Esse "um dia" seria após nos aposentarmos ou se ganhássemos na loteria. Hina não deve achar que eu desejo mesmo isso.

Quantos anos faltam para eu me aposentar? Quando isso acontecer, ainda terei dinheiro, paixão e força física suficientes para administrar uma loja?

Hina me convidou para o workshop "Brincando com minerais". Vai ser hoje no Centro Comunitário de uma escola primária perto da casa dela. Como ela não parece ter frequentado essa escola, perguntei como a encontrou.

– Pensei em criar uma loja virtual e, ao procurar um curso de informática, descobri que tinha lá. Estou frequentando agora. São aulas quase individuais de duas horas por 2 mil ienes! É muito legal, e é em um Centro Comunitário! Há vários eventos sobre um monte de assuntos.

Ela não estava satisfeita apenas fazendo bijuterias com vidros marinhos, e então começou a cogitar vendê-las. Três vezes por semana, ela faz bico em um escritório. Morando com os pais e sem precisar se preocupar com os gastos da vida diária, tem bastante tempo para se dedicar à criação de bijuterias e à loja virtual. Ao contrário de mim.

O.k., pensar aquilo não era certo. Sacudi a cabeça tentando espantar essas ideias.

Levado por ela, entrei no prédio branco do Centro Comunitário e escrevi meu nome, objetivo da visita e horário de entrada em uma lista na recepção. Pelo que vi escrito, durante a manhã umas dez pessoas haviam passado por ali para visitar as salas de reunião, um salão em estilo japonês ou a biblioteca, o que me surpreendeu.

O local do curso era a sala B e apenas quatro pessoas a ocupavam. Além de nós, havia dois senhores de idade. Para um workshop, era melhor mesmo um número reduzido de participantes.

O instrutor se chamava Mogi e devia estar na casa dos 50. Ele foi logo se apresentando: tinha trabalhado em uma indústria de fundição e, devido ao seu crescente interesse por minerais, acabou se qualificando como perito na área. Explicou que em seu tempo vago sempre realizava workshops e eventos de coleta de minerais; era um trabalho quase voluntário.

"Crescente interesse"? "Trabalho voluntário"? Ele parecia se alegrar e se divertir tranquilamente.

Achei o workshop muito instigante. Meus pensamentos viajavam. Os diferentes tipos de minerais. Seu processo de formação. A utilização correta de uma lupa. Amostras de minerais raros.

Mogi distribuiu para cada um dos participantes uma pedra de uns cinco centímetros. Tinham uma padronagem de listras com gradação do roxo ao amarelo, que o instrutor disse se tratar de fluoritas de procedência argentina.

– Bem, vamos executar juntos o polimento.

Depois de pingar água com um conta-gota, faz-se o polimento com uma folha de lixa. Quando a superfície da pedra estiver ligeiramente aplainada, temos que lavá-la e finalizar com uma lixa mais fina.

Quando as irregularidades da fluorita ficaram mais lisas, as listras se destacaram com mais nitidez e vivacidade.

Meu sonho de ter uma loja de antiguidades me voltou à mente. É isso! Vou criar uma seção para esse tipo de mineral. Convidarei especialistas e organizarei pequenos eventos.

– Ryo, pode esperar um pouco enquanto converso com o instrutor? – pediu-me Hina ao final da aula de noventa minutos. – Quero fazer bijuterias com esse mineral. Vou pedir para ele me ensinar qual pedra é melhor.

Ela está tão motivada! Está se empenhando muito na criação da loja on-line. Não há razão para atrapalhá-la.

– Hum, claro. Aqui tem uma biblioteca, certo? Vou dar uma olhada nos livros. Fique à vontade.

Logo depois, saí da sala.

* * *

A biblioteca ficava no final do corredor.

Da porta de entrada, espiei o interior e ela me pareceu maior do que eu imaginei. Havia muitas estantes encostadas nas paredes e no centro do recinto.

Não havia nenhum visitante, apenas uma moça com um avental azul-marinho atrás do balcão, inserindo no computador os códigos de barra dos livros.

De início, olhei a estante contra a parede mais próxima da entrada. Imaginei que, por estar instalada como anexo em uma escola primária, os livros infantis fossem a maioria, mas me surpreendi ao constatar uma boa variedade de títulos – não devia nada a uma biblioteca comum.

Procurei um livro sobre antiguidades. Logo encontrei a prateleira com livros de artesanato e artes. Depois de folhear alguns deles, procurei um sobre como abrir um estabelecimento comercial.

Justo nesse momento, a moça de avental azul-marinho passou por mim. Ela carregava três livros. Talvez devoluções.

– Quais livros você teria sobre criação e gestão de empresas? – perguntei.

Ela movimentou com graça seus grandes olhos. Devia ter menos de 20 anos.

– Hum... Deixe-me ver... Livros sobre o mundo dos negócios talvez? Mas biografias de gestores também podem ser úteis.

No crachá estava escrito Nozomi Morinaga.

– Ah, não se preocupe – falei, com pena de vê-la se esforçando tanto. Fiz um sinal com a mão para mostrar que eu me viraria sozinho.

– Desculpe. Ainda estou em treinamento. Pergunte, por favor, à bibliotecária na seção de consultas ali no fundo – sugeriu ela, enrubescida.

No local apontado por Nozomi, uma placa pendurada no teto indicava "Seção de consultas".

Ter uma bibliotecária demonstrava que o lugar era bem organizado, apesar de pequeno. Fui até o fundo e me espantei ao espiar a seção de consultas após contornar o anteparo.

A mulher sentada ali era muito grande.

Ela trajava um avental bege sob um cardigã marfim largo, evidenciando as dobras de seu corpo.

Eu me aproximei, hesitante. De expressão carrancuda, a mulher parecia trêmula. Fiquei preocupado se não estaria passando mal. Porém, ao baixar os olhos para suas mãos, vi que ela espetava uma agulha em algo no formato de um novelo.

Seria uma forma de desestressar?

Fiquei em dúvida se devia falar com ela e fiz menção de dar meia-volta. Nesse momento, ela levantou a cabeça. Nossos olhos se encontraram e eu congelei.

– O que você procura?

Sua voz doce me pegou desprevenido. Apesar de ela não sorrir, sua voz estava cheia de afeição. Eu me senti hipnotizado.

O que eu estaria procurando?

Talvez um local para depositar meus sonhos difíceis de realizar.

Havia um crachá pendurado no peito dela, informando seu nome. Sayuri Komachi. Em seu coque havia um enfeite de flores brancas.

– Bem... Tem algum livro sobre como abrir um negócio?

– Abrir um negócio? – repetiu ela.

– Isso, como constituir uma empresa.

Eu me senti um pouco mal colocando as coisas nesses termos, temendo passar a impressão de que estava planejando fazer algo grandioso.

– E também o melhor jeito de pedir demissão de uma empresa... – acrescentei.

... apesar de eu não poder abrir um negócio nem me desligar da empresa em que trabalhava.

A bibliotecária colocou a agulha e o tal novelo dentro de uma caixa de biscoitos laranja próximo a ela. Uma caixa dos cookies Honey Dome. Lembro que na infância essa era a minha recompensa quando eu ajudava nos serviços domésticos.

Ela tampou a caixa e olhou para mim.

– Há diversos tipos de empresas. O que você deseja fazer?

– Um dia quero abrir um antiquário.

– Um dia...

De novo, ela repetiu apenas minhas palavras. Apesar da falta de inflexão em sua maneira de falar, me senti de alguma forma compelido a fornecer uma explicação quanto antes.

– Quer dizer, não posso largar de imediato meu serviço. E também não tenho o capital necessário para abrir uma loja. Embora eu diga "um dia", talvez tudo acabe sendo apenas um sonho.

– Talvez acabe sendo um sonho...

Ela inclinou a cabeça bruscamente e continuou:

– Um sonho não pode "acabar" enquanto você estiver dizendo "um dia"! Ele vai continuar para sempre sendo um lindo sonho. Mesmo não se concretizando, creio que essa também é uma forma de vida. Sonhar sem ter um plano definido não é uma coisa ruim. Isso torna seus dias alegres.

Fiquei sem palavras.

Se "um dia" era a expressão mágica para continuar a sonhar, o que eu deveria dizer para fazer esse sonho se tornar realidade?

– Mas você deve tentar, se deseja saber o que existe para além do sonho.

Ela corrigiu a postura e se voltou para o computador. Parou um segundo as mãos sobre o teclado e no instante seguinte teclou com tanta velocidade que seus dedos quase ficaram invisíveis. Eu estava paralisado.

Por fim, num gesto quase solene, ela bateu na tecla Enter e uma folha foi impressa. Ela me estendeu o papel com uma lista contendo o título dos livros, autor e o número da estante:

Você consegue abrir uma loja, Minha loja, Sete coisas a fazer antes de se demitir.

No final da lista havia um título incompatível com os demais. Precisei lê-lo duas vezes:

O mistério das plantas: o melhor da Sociedade Real de Horticultura Britânica.

Li esse longo título, certo de que havia um engano. Apesar de tê-lo feito em voz baixa, a sra. Komachi deve ter ouvido. Mas ela me olhava calada.

– *O mistério das plantas*?

Eu repeti apenas essa parte do título.

– Ahã. E, a propósito, estas são flores de acácia. – Ela se limitou a dizer, ajeitando seu enfeite de cabelo.

A sra. Komachi me olhou com o semblante inexpressivo, e eu não soube como responder.

– São maravilhosas – disse de forma evasiva.

Ela pôs o dedo indicador sobre a caixa de biscoitos.

Havia flores brancas desenhadas na tampa da caixa. Provavelmente acácias. Apesar de ver sempre e há muito tempo essa caixa, desconhecia o nome das flores.

– O mel usado nesses biscoitos vem das flores de acácia, não vem? – balbuciei.

A sra. Komachi inclinou de leve o corpo e abriu a segunda gaveta de seu gabinete debaixo do balcão.

– Tome, é para você.

– Como?

Ela estendeu a mão como se segurasse com cuidado um sonho de padaria. Num gesto involuntário, estendi a minha e algo fofo foi posto sobre ela.

Parecia uma bolinha de lã... mas era um gato. Marrom com listras pretas. Um gato tigrado dormindo deitado.

– O que é isto?

– Um brinde.

– Como?

– Um brinde que acompanha os livros!

Brinde? Para mim? O que significaria aquilo? Tenho cara de quem gosta de gatos? Por quê?

– O melhor de tudo é que você não precisa de um molde de papel para fazê-lo. Não há uma regra fixa.

Ela destampou a caixa de Honey Dome, retirou novamente o novelo e a agulha e se pôs a espetar. Senti que não deveria perguntar mais nada e parti levando a folha e o gato.

– Ah, mais uma coisa – disse ela sem sequer olhar na minha direção. – Não se esqueça de anotar na recepção o horário de saída. Muita gente acaba esquecendo.

– Entendido.

E, tremendo levemente, a sra. Komachi continuou o espeta-espeta.

Com a lista em mãos, procurei os números das estantes e peguei todos os livros listados. Inclusive o quarto livro. O título era longo, mas em letras garrafais constava apenas *O mistério das plantas*.

Nesse momento, Hina apareceu. A conversa com o instrutor acabou mais rápido do que eu imaginava. Talvez por eu não ter sentido o tempo passar conversando com a bibliotecária.

Hina logo viu o gato feito à mão.

– O que é isso? – perguntou em voz alta, tomando-o da minha mão.

– Um brinde que a bibliotecária me deu.

– Que lindo! É um trabalho de feltragem com agulha.

Então era assim que se chamava. Antes mesmo de pensar em dá-lo de presente a Hina, ela me devolveu.

– Vai levar algum livro? – perguntou ela.

Hesitante, recebi de volta o gato.

– Não sei, eu estava só dando uma olhada...

Sem pensar muito, coloquei o livro sobre plantas em cima para encobrir o título dos outros três.

– Quer que eu faça um cartão de empréstimos? – perguntou Nozomi.

Ela se empenhava no seu trabalho.

Pensei em recusar, mas Hina se apressou em responder:

– Qualquer pessoa pode pegar livros emprestados?

– Sim, se for residente do distrito.

– Ah, sendo assim, eu quero fazer. Ele não mora aqui.

Hina se dirigiu ao balcão orientada por Nozomi. Enquanto isso, coloquei de volta na prateleira os livros relacionados a criação de empresas. Com o semblante mais inocente, peguei emprestado apenas o quarto livro e saí da biblioteca me sentindo um verdadeiro apreciador de plantas.

Quase saindo do prédio, me lembrei das palavras da bibliotecária. Ela insistiu para que eu anotasse o horário de saída. Obedeci e pousei a caneta esferográfica no balcão. Foi quando notei uma pilha de papéis amontoados ao lado.

O título nas folhas era *Jornal do CCH*. A abreviação significava Centro Comunitário Hatori. Eram cópias coloridas de tamanho A4 recheadas de textos manuscritos, feitas para serem distribuídas gratuitamente aos visitantes.

A parte inferior da folha me chamou a atenção. Havia a foto de um gato idêntico ao que a sra. Komachi tinha me dado. Era tigrado e estava deitado no colo de um homem de óculos e camiseta estilo marinheiro. Ao fundo se enfileiravam estantes de livros.

Num gesto involuntário, peguei uma folha.

A edição 31 do *Jornal do CCH* trazia um artigo intitulado "Especial: lojas recomendadas pelo nosso pessoal". Dividido em seis partes, apresentava informações sobre estabelecimentos comerciais na região metropolitana de Tóquio. Docerias, floristas, casas de chá, restaurantes especializados em porco empanado *tonkatsu*, casas de karaokê. Abaixo da foto do gato constava o título "Recomendação de livraria da bibliotecária Sayuri Komachi!".

O nome da livraria era Cats Now Books. Era especializada em livros sobre gatos, e alguns bichanos viviam na loja.

– Está com cara de que vai chover. Vamos logo, Ryo. – Hina me apressou, abrindo a porta e olhando para fora.

Dobrei a folha do jornal, pus dentro do livro, coloquei-o na bolsa e saímos do prédio.

Minha namorada tem duas irmãs mais velhas. Kimiko, a primogênita, tem a minha idade, 35 anos, e a outra, Erika, tem 32.

Hina foi concebida muito tempo mais tarde numa gravidez não planejada.

Kimiko, solteira, é engenheira de som em uma estação de tevê de Osaka. Erika se casou com um tcheco e mora em Praga. Eu entendia bem o porquê de os pais de Hina terem um carinho especial por ela, que ainda morava com eles.

Apesar disso, eles não se opunham quando a filha passava os fins de semana no meu apartamento ou fazíamos viagens curtas juntos. Alegavam que ela já era adulta, e era muito melhor fazer isso às claras do que às escondidas. Talvez seja algo comum de ocorrer com a caçula de três irmãs.

No verão do ano passado, aluguei um carro para um passeio e na volta, quando a levei até em casa, fui meio que forçado a entrar. Desde então, fui aos poucos sendo aceito como um integrante da família. Nunca conversei com Hina sobre casamento, mas os pais dela devem estar considerando essa possibilidade.

– Muito trabalho agora, Ryo? – perguntou o pai dela, estendendo uma garrafa de cerveja para mim.

Às pressas, dei um gole no resto de cerveja que tinha no copo.

– Sim, bastante. Agora é época de regularização de imposto de renda... Mas ainda tenho muito a aprender nessa área.

– Seus colegas não empurram trabalho para você? Você é muito gentil e responsável.

O pai verteu cerveja em meu copo vazio. Agradeci com um aceno de cabeça.

– Pai, o Ryo não é tão forte com álcool. Por favor, não o faça beber muito – adiantou-se Hina.

O pai riu e sugeriu que bastaria eu dormir lá naquela noite.

– Hina, pode me dar uma ajuda?

A voz da mãe veio da cozinha. Hina se levantou.

O pai levou os hashis até o linguado refogado em shoyu e disse, mantendo a cabeça baixa:

– As minhas duas mais velhas têm um temperamento forte desde crianças, são muito independentes e até mesmo um pouco imprudentes…

O tom de sua voz era baixo. Talvez para não ser ouvido da cozinha. Ele continuou:

– Hina, por sua vez, faz as coisas do jeito dela e vive alheia ao mundo real. Na verdade, ela própria vive dizendo que quer viver num reino de fantasias. Nós a mimamos demais. Ficamos menos preocupados sabendo que ela tem ao lado um homem digno de confiança como você, Ryo.

Depois de um breve silêncio, ele me encarou com um leve sorriso no rosto.

– Podemos confiar nossa Hina a você?

Por ser incapaz de pronunciar um sim com entusiasmo, não me sentia digno o suficiente de sua confiança. Fingindo acanhamento, só consegui dar um sorriso sem graça.

Fico feliz por ele gostar de mim. Ele me vê como o candidato a esposo de sua linda filha, o protetor dela por toda a vida.

Mas isso também vinha com certa pressão: como eu poderia expressar meu desejo de largar meu emprego para me aventurar em um antiquário?

O motivo de sua despreocupação não era eu, mas a minha aparente estabilidade profissional.

* * *

Depois de voltar ao meu apartamento e tomar uma ducha, deitei na cama munido do livro que peguei emprestado e do meu smartphone.

O mistério das plantas: o melhor da Sociedade Real de Horticultura Britânica.

Observei com atenção. A capa era simples e sofisticada. Num fundo branco havia ilustrações de plantas feitas a lápis de ponta fina com as letras verdes cintilantes do título gravadas em alto-relevo no centro. O livro fora feito com esmero.

Não sabia por que a bibliotecária tinha me recomendado o livro, mas ele me agradava. Eu o folheei. As ilustrações eram lindas. O livro trazia perguntas e respostas em páginas duplas e, embora parecesse de leitura fácil e didática, nada tinha de infantil.

Ao me deitar de costas e abri-lo, caiu de dentro dele o *Jornal do CCH*. Coloquei o livro ao lado do travesseiro e peguei a folha.

Fiquei interessado na livraria de gatos...

O artigo mencionava que, por ocasião da abertura da loja, Yasuhara, o dono, resgatou gatos das ruas e os contratou como funcionários. Essa livraria, dedicada a livros sobre felinos, localizava-se em Sangenjaya e destinava parte das vendas a entidades de proteção aos gatos.

Falando nisso, no cabo da minha antiga colher de carneiro, onde eu acreditava haver uma tulipa também poderia ser a pata de um felino. Há dois entalhes gravados na extremidade do cabo achatado do tipo denominado "padrão Trefid".

Procurei na internet a livraria Cats Now Books.

Além da conta no Twitter, havia inúmeras matérias.

Quando cliquei no primeiro artigo que surgiu, Yasuhara apareceu vestindo uma camiseta com o desenho de um bichano. Estava em frente a uma estante com um gato no colo, mas no lugar de um tigrado dessa vez era um preto. Quantos gatos ele teria? Dentro da loja, onde também dá para consumir bebidas, há a foto de uma cerveja com os dizeres "Gato da quarta-feira".

Sob a imagem, vinha a legenda: "Gatos, livros e cerveja. Cercados por tudo que adoramos." Yasuhara sorria para a câmera.

Que maravilha, não? Um sonho, realmente.

Minhas pálpebras ficaram pesadas. Com a mente vaga, meus olhos percorreram os artigos na internet. Yasuhara parece gerenciar a livraria ao mesmo tempo que é funcionário em uma empresa de TI.

Como isso é possível? *Social business. Crowdfunding.* Leio saltando as palavras cujo significado desconheço.

"Em uma carreira paralela, os dois trabalhos são igualmente importantes. Um não se sobressai ao outro", dizia Yasuhara em uma das matérias.

Um trabalho não se sobressai ao outro? O que isso significa?

Procurando pela expressão "carreira paralela", havia a proposta do famoso administrador Peter Drucker de "realizar ao mesmo tempo uma outra atividade". Uma segunda ocupação?

Bocejei.

Desliguei o celular. Estava muito cansado. Assaltado pelo sono, acabei dormindo.

＊ ＊ ＊

No dia seguinte, exatamente às cinco da tarde, chamei Yoshitaka quando ela estava prestes a ir embora.

– Você terminou a checagem dos documentos de despesas do departamento comercial? Eles estão esperando.

– Ah, aquilo... Ainda não. Acabei de passar esmalte nas unhas. Podemos deixar para amanhã? – perguntou, agitando uma das mãos.

Não consegui compreender aquela justificativa.

– O prazo é hoje, você sabe!

Tentei falar com o máximo de tato possível. No entanto, Yoshitaka franziu a cara como se tivesse ouvido algo terrível.

Sem uma palavra, retornou enraivecida ao seu assento e tirou com todo o cuidado o celular da bolsa com a ponta dos dedos. Começou a ligar para alguém.

– Alô. Desculpe, estou um pouco atrasada. Entrou um trabalho urgente.

Ela preferiu telefonar a mandar uma mensagem ou um e-mail, talvez para que eu pudesse ouvi-la. Fiquei meio arrependido.

Espere um pouco. Por que tenho que me sentir culpado?

Esperei Yoshitaka enquanto fazia meu trabalho não urgente. Quero ir a um lugar hoje, mas não posso sair sem os demonstrativos de acerto de despesas. Preciso verificar os demonstrativos mais uma vez antes de efetuar o processamento amanhã cedo, no primeiro horário.

Yoshitaka levou quarenta minutos na tarefa e, depois de praticamente atirar os documentos sobre minha mesa, foi embora.

Olhei meu relógio de pulso. Coloquei os documentos na pasta e me preparei para sair. Decidi verificá-los em casa. Não ganho hora extra levando trabalho para casa, mas não havia outro jeito.

No caminho, passei numa loja de departamentos em Shinjuku, onde acontecia uma feira de antiguidades. Era o último dia.

Felizmente consegui chegar uma hora antes do horário de encerramento. No salão de exposições estavam alinhadas peças de cerâmica, pinturas em rolo *emaki* e outros itens diversos. Ironicamente, aqueles objetos acabavam não sendo vendidos e, como sempre, a feira era quase uma exposição.

Em outras palavras, as peças eram difíceis de vender. Eu mesmo só vim para ver, não vou negar. Pensava nisso enquanto admirava um antigo vaso de porcelana Imari.

Se eu tivesse uma loja, quantos itens teria que vender por dia para obter algum lucro, depois de deduzidos o aluguel da loja, as despesas de luz, aquecimento e mobiliário? E ainda havia os impostos.

Comecei a pensar vagamente sobre isso e me dei conta de como tudo parecia impossível.

– Ryo. Você é o Ryo, não é?

Ao ouvir a voz e me virar, vi de pé um senhor de cabelos longos e ondulados. Destacava-se nele a jaqueta rosa-choque com estampa de flores amarelas e verdes. Bastaram dois segundos para eu identificar seu rosto.

– Nasuda?

– Isso, isso mesmo! Nossa, fico feliz de você ter se lembrado!

Era um dos clientes regulares da Enmokuya. Ele morava em uma enorme casa de três andares ao lado do antiquário. Filho único de um agente imobiliário, vivia ao seu bel-prazer enquanto ajudava nos negócios do pai. Ele adorava a expressão "filho pródigo" e gostava de se autodenominar assim. Na época, ele estava na casa dos 20 e nessas duas décadas sem nos vermos ele envelhecera, mas seu inconfundível estilo psicodélico ajudou bastante a reavivar minha memória.

– E você também me reconheceu.

– Você não mudou nada, Ryo. O mesmo jeito meio tímido.

Suas palavras me magoaram, mas a nostalgia as levou embora. Sim, aquele era o seu jeito de sempre.

– O que faz agora? – perguntou.

– Sou um assalariado comum. E você?

– Sou um filho pródigo comum.

Nasuda tirou da bolsa a tiracolo um porta-cartões de visita e me entregou um. Na parte superior esquerda do nome dele havia três cargos escritos em inglês. *Renovation designer. Real estate planner. Space consultant.* Sem entender direito, pude apenas compreender que realizava atividades ligadas a imóveis.

– Foi uma surpresa a Enmokuya ter fechado tão repentinamente, não?

– Sem dúvida...

– Naquela época, até a polícia bateu na minha porta.

– Polícia?

Senti meu coração acelerar. Eu sempre me preocupara com isso. Imaginei que o sr. Ebigawa tivesse fechado a loja por estar doente ou envolvido em algum crime.

– O Ebigawa estava com uma enorme dívida devido à má gestão e acabou fugindo!

Fiquei decepcionado. Teria sido melhor se fosse uma doença ou um crime.

Aquele mundo fantástico da Enmokuya de repente se tornou vívido em minhas lembranças novamente.

– É difícil imaginar que a loja fosse lucrativa. Devia ser muito difícil para ele. A Enmokuya virou fumaça – afirmou Nasuda em tom de desaprovação.

Pelo visto, ter um comércio é bem complicado. Ainda mais um antiquário, como é meu sonho.

– Você tem cartão de visita?

Atendendo seu pedido, lhe entreguei meu cartão.

– Ah, você trabalha numa fábrica de móveis. Kishimoto, eu conheço, eu conheço. Quando precisar, me contate! Eu atuo em variadas frentes. Sabe o showroom da Libera? Eu planejei aquele evento.

Libera era o nome de uma grande marca de design de interiores.

Fiquei surpreso. Ele estava à frente de trabalhos importantes.

No entanto, sendo eu um contador, uma parceria profissional com ele parecia improvável.

O celular dele tocou. Antes de atender, sugeriu que devíamos sair qualquer dia para beber algo e se afastou para atender a ligação.

* * *

Na manhã seguinte, aproveitei um momento sem ninguém ao redor para falar com Yoshitaka.

Ao verificar os documentos em casa, notei que os números nos demonstrativos batiam com os respectivos recibos. Porém havia algo estranho no recibo do departamento comercial. O recibo estava adulterado com corretivo e o valor fora reescrito por cima. Era a despesa de uma reunião com um cliente em um café. Se o valor que se via por baixo estivesse correto, havia uma diferença de 12 ienes.

O valor fora originalmente escrito à caneta esferográfica. No entanto, o número em cima do corretivo foi reescrito à caneta hidrográfica, com uma caligrafia diferente. Dificilmente um funcionário do café o teria corrigido. Ou tinham errado no departamento ou...

– Yoshitaka, com relação a este recibo...

Ela me olhou com uma expressão um pouco tensa no rosto e explicou, irritada:

– A conta estava errada. Não valeria a pena ir até o departamento comercial pedir para corrigir um valor tão insignificante. Qual o problema? É pouco mais de 10 ienes. A empresa não vai falir por causa dessa merreca.

– Mas isso não é correto!

– Então eu pago do meu bolso. Está bem assim?

– Claro que não! Não é essa a questão.

– Que rabujice. As mulheres vão detestar você se ficar reclamando por causa de 10 míseros ienes.

– O problema não é o valor!

Minha voz saiu tão alta que até eu me espantei.

Yoshitaka enrubesceu e virou o rosto. Ela não contava com o meu grito.

– Desgraçado... – disse com a voz cheia de ódio e, pegando a bolsa e o casaco, partiu.

* * *

Passei o resto do dia inquieto, sem esclarecer o caso e preocupado por não saber para onde ela teria ido. Tabuchi estava de folga. Antes mesmo de começar a ponderar se seria melhor informar o ocorrido ao departamento pessoal, eles me chamaram.

– Yoshitaka se queixou de estar sendo assediada moralmente por você e disse que vai se demitir.

– Como é?

– Você teria se enfurecido porque ela derramou sem querer o corretivo e reescreveu os números num recibo. Estava apavorada e chorando, dizendo que você chegou a ameaçar bater nela. Alegou que, apesar de você ter um temperamento calmo, quando está sozinho com ela a coisa muda.

Era eu quem estava prestes a chorar agora. Estava furioso, triste, me sentindo injustiçado. Derramou sem querer o corretivo? Que mentira deslavada. Eu de fato levantei a voz, mas dizer que fiz menção de bater nela era uma acusação absurda.

Entretanto, não havia provas. Não havia nada que comprovasse minha inocência.

– Seja como for, vou ter que levar o caso à esfera superior – informou o chefe do departamento, cruzando os braços. – A moça é sobrinha do presidente. Tabuchi sabe disso, e eu devia ter te avisado.

* * *

Ao retornar ao meu apartamento, Hina me esperava com o jantar pronto. Passávamos sempre o fim de semana juntos, começando pela noite de sexta.

Mas o que acontecera na empresa não me saía da cabeça.

Eu trabalho no lugar mais maçante que existe. O que estou fazendo da minha vida?

Continuarei assim até a aposentadoria? Vou passar o resto dos meus dias num emprego que não me entusiasma?

O pior é que, mesmo quando estou em casa, não me desligo

do trabalho. Isso sempre acontece. É claro que é normal a gente se irritar com um colega ou se preocupar com alguma tarefa pendente, mas é mais que isso. Sinto que estou sendo controlado pelo trabalho. E por um trabalho que nem me agrada!

Ainda assim, sei que não posso colocar meu emprego em risco. Por mais que me desagrade, eu preciso dele. Sempre foi assim e sempre será.

— Ryo, é impressão minha ou você está desanimado? — perguntou Hina, inclinando a cabeça.

— Não, está tudo bem. Estou apenas um pouco cansado.

— Então é isso. Você tem trabalhado muito.

Ela colocou duas taças sobre a mesa e trouxe uma garrafa de vinho.

— Sabe, hoje consegui alcançar minha meta mensal de vendas on-line. Alguém escreveu uma avaliação muito positiva. E...

Hina começou a contar, toda alegre.

Ela fazia apenas as coisas de que gostava, sem precisar conviver com pessoas antipáticas, sem preocupações financeiras, abrindo exultante uma garrafa de vinho quando conseguia algum dinheiro... Como seria bom se pudesse ser assim comigo também.

— Estou feliz por ter minha loja, apesar de ser apenas virtual. Você também, Ryo, quando tiver seu antiquário...

— Pare de falar como se fosse uma coisa simples!

Seu corpo estremeceu. Eu sabia que estava descontando minha raiva nela, mas estava fora de mim.

— Eu não sou como você — continuei. — Meu trabalho é sério, não o encaro como um passatempo. Mesmo que sua loja seja um fracasso, com faturamento zero, você não vai ter preocupação nenhuma!

— Minha loja não é um passatempo! — exclamou, sucinta.

A veemência da resposta dela me deixou sem palavras.

– Eu não estou brincando de ter uma loja, Ryo. É uma pena que você pense isso.

Gelei. Pensei em me desculpar, mas ela se levantou de supetão.

– Vou embora.

De punhos cerrados, não consegui me mover. Incapaz de ir atrás dela, ouvi o barulho da porta fechando.

As coisas só pioravam...

* * *

O tempo que eu deveria passar com Hina no fim de semana estava todo em minhas mãos. Nós dois raramente brigávamos. Havia tempos eu não ficava sozinho.

Zapeei pelos canais da tevê, mas os risos dos programas de variedades eram barulhentos demais e acabei desligando. Estendi a mão em direção a uma pilha de livros ao lado da cama.

O mistério das plantas.

Resolvi dar uma olhada. Conforme avançava na leitura, percebi que havia mesmo muitas coisas misteriosas. Meu coração foi aos poucos se tranquilizando ao entrar em contato com o mundo das plantas, tão diferente dos relacionamentos humanos. Tive uma sensação parecida com a que tive quando pisei pela primeira vez na Enmokuya.

A cada nova página, eu ia gostando mais e mais do livro. Havia muitas perguntas e respostas: Por que as árvores crescem tanto? Por que a grama continua viva após cortada? É verdade que as plantas crescem mais quando conversamos com elas? Os girassóis giram acompanhando a posição do sol?

O papel utilizado no livro era muito branco e macio, como um tecido, e costurado firmemente, como se protegido pela capa dura. A abertura das páginas era suave a ponto de permitir que o livro ficasse aberto sobre a mesa. Era um livro delicado com textura e teor agradáveis.

O capítulo três era intitulado "O estranho mundo subterrâneo". Qual a função das minhocas? Para onde vão as raízes? Qual o percentual das raízes no total de uma árvore?

Fiquei muito curioso para saber o que havia no subsolo quando vi a ilustração de uma árvore e suas raízes separadas por uma linha horizontal representando o solo.

Espere um pouco!

Como vivemos na superfície da Terra, só vemos as flores e os frutos das plantas. Entretanto, quando pensamos em batatas-doces e cenouras, as "raízes" sob o solo se tornam protagonistas.

Já do ponto de vista das plantas, a parte de cima e a de baixo são igualmente importantes e estão em equilíbrio.

Os seres humanos só enxergam o que lhes convêm e acham que isso é tudo. Já as plantas...

Os dois lados são importantes.

Ao me dar conta disso, eu me lembrei do artigo sobre carreira paralela.

Em uma carreira paralela, os dois trabalhos são igualmente importantes. Foram as palavras de Yasuhara.

As plantas desempenham seu papel acima e abaixo do solo, e os dois lados se complementam reciprocamente...

Funcionário de empresa e dono de livraria. Talvez seja isso que Yasuhara tenha feito.

Quem sabe eu também consiga? A questão é achar uma forma de conciliar as duas atividades.

✴ ✴ ✴

Na tarde do dia seguinte, fui de Shibuya até Sangenjaya e, depois de trocar para a linha Tokyu Setagaya, desci na estação Nishi-taishido. Desejava visitar a Cats Now Books.

Já era quase meados de dezembro e a neve caía em flocos pequenos.

Saí da estação e, seguindo o trajeto que memorizei, caminhei por uma área residencial. Havia mesmo apenas moradias. Para confirmar, abri o GPS e prossegui por um caminho estreito até me deparar com uma casa branca. Na placa azul sob o beiral via-se um logo com um gato amarelo. Era ali.

Havia inúmeros livros na vitrine. Todos com gatos na capa.

Ao abrir a porta, fui envolvido por um ar quente e respirei aliviado. No caixa estava de pé uma mulher bem-vestida, de cabelo curto. Olhei ao redor: pela abertura da porta de treliça ao fundo, pude ver a silhueta de um homem trajando uma camisa azul quadriculada.

Era Yasuhara.

Logo na entrada havia livros recém-lançados e, do outro lado da porta de treliça, vários que pareciam usados. Com o coração acelerado, percorri com o olhar os livros nas estantes.

– Posso entrar ali? – perguntei à mulher no caixa.

Ela me pediu para tirar os sapatos e, depois de desinfetar as mãos com álcool, abri a porta de treliça.

Havia gatos ali...

Um deles, tigrado, dormia sobre uma almofada. Parecia com o gato de feltro de lã que ganhei da bibliotecária. Havia mais dois, outro tigrado e um preto, caminhando à vontade entre as estantes.

– Seja bem-vindo.

Yasuhara me saudou enquanto atendia uma senhora. Sua voz era baixa, agradável e acolhedora. Ele tinha uma expressão serena e um ar mais intelectual do que parecia nas fotos.

Sobre a mesa no centro do espaço de livros usados repousava um pequeno cardápio de bebidas.

Como eu tinha intenção de permanecer por algum tempo ali, fiz o pedido a Yasuhara.

– Por favor, eu gostaria de um café.

– Claro. Prefere quente?

– Sim, por favor – respondi.

Yasuhara lançou através da treliça um olhar discreto para a mulher no caixa. Ela entrou e se dirigiu à cozinha.

Um gato passou próximo aos meus pés. Imaginei que fosse um dos que eu já tinha visto, mas sua barriga e suas patas eram brancas. Era tigrado também. Havia vários outros gatos. Pareciam muito à vontade, movimentando-se com naturalidade.

Enquanto bebia o café, peguei um livro que estava em exposição. A funcionária voltou para o caixa. Senti que poderia apenas relaxar ali, observando os gatos, cercado por livros, antes de retornar para casa.

Um tigrado com uma coleira laranja subiu em um local alto sem emitir um ruído sequer. Era o gato que eu vira dormindo sobre a almofada. Ele logo se acomodou e agitou o rabo. Nossos olhos se encontraram.

"Você veio até aqui com a clara intenção de saber o que há para além do sonho, não é?"

Meu coração acelerou ao imaginar o gato me fazendo essa pergunta.

Quando a cliente se dirigiu ao caixa com um livro na mão, eu pousei a xícara de café e me levantei para falar com Yasuhara.

– Com licença...

Ele se virou.

– Eu vim porque vi um artigo recomendando a livraria. Foi escrito pela bibliotecária do Centro Comunitário Hatori.

– Ah! – exclamou Yasuhara, sorridente. – Quer dizer que a Komachi escreveu sobre mim? Agradeço por você ter vindo.

– Bem, na realidade, eu também penso em abrir uma loja.

Eu havia planejado dizer isso aos poucos, mas acabei indo direto ao ponto.

Temi que ele se assustasse com a minha abordagem, mas Yasuhara mantinha um semblante simpático.

– Uma livraria?

– Não, um antiquário.

– Legal – disse Yasuhara, parecendo bastante interessado.

– Vi na internet alguns artigos com entrevistas suas. Foi por elas que ouvi falar sobre carreira paralela. Você trabalha numa empresa durante a semana, correto? – indaguei.

– Isso mesmo.

– Queria saber mais sobre isso. Me chamo Ryo Urase. Trabalho como contador em uma fábrica de móveis.

– Claro, com prazer. Vamos conversar um pouco.

Yasuhara se acomodou numa banqueta e, com um gesto, me convidou a acompanhá-lo.

Por onde iniciar a conversa? As palavras começaram a sair desordenadas.

– Não é complicado ter uma loja e, em paralelo, trabalhar numa empresa? Um dos dois não acaba se tornando um fardo?

Yasuhara sorriu.

– Hum, será? Sinto que, por ter as duas atividades, nenhuma delas se torna um peso.

O gato tigrado de há pouco se aproximou e pulou no colo do dono.

– Um tempo atrás eu quis me demitir da empresa, mas acho que estou desfrutando da livraria justamente por ter continuado como assalariado. Se a minha única fonte de renda fosse a livraria, eu seria obrigado a pensar em formas de venda contrárias aos meus princípios.

Acariciando o gato, Yasuhara prosseguiu:

– Entendo o trabalho como algo que garante uma posição na sociedade. Uma carreira paralela significa ter uma dupla posição. Nenhuma das atividades é secundária.

Posição. Uma identidade, um papel em dois mundos, o da superfície e o do subsolo.

– Na entrevista você disse que ambos os trabalhos têm a mesma importância, não foi? – perguntei, pensando nas plantas.

– Sim.

– Você ganha o mesmo como livreiro e assalariado?

No instante em que perguntei isso, me envergonhei de ter tocado nesse ponto.

– Você é bem direto, não é? – disse ele. – Falando talvez com um pouco de exagero, a livraria é para mim uma fonte de satisfação pessoal, e não um meio de ganhar dinheiro. Mas é claro que quero aumentar o faturamento para poder manter a loja.

Creio que seja gratificante fazer algo de que você gosta. Porém, quando as duas atividades se tornam relevantes, não se tem mais tempo para nada – dia, noite, fins de semana, é só trabalho e trabalho. Será que ele não pensa no lazer, no repouso, na diversão? Perguntei, escolhendo bem as palavras:

– Mas, sendo assalariado e tendo uma livraria, não é possível nem mesmo fazer uma viagem, não é?

Yasuhara assentiu, parecendo acostumado com a pergunta.

– Claro, mas as pessoas que não posso ir visitar acabam vindo à loja e aqui conheço muita gente interessante. É como se eu viajasse por diversos lugares ao conversar com elas. Mesmo não saindo daqui, tenho experiências divertidas e isso é mais do que eu poderia desejar.

Sua resposta despertou algo em mim. Quem ele teria conhecido que inspirou uma resposta tão positiva como aquela? Seria esse o maravilhoso resultado de se ter uma loja?

Entretanto, será que tudo isso só foi possível porque Yasuhara é inteligente, culto, tem bom senso, contatos e virtudes? Acho difícil me tornar como ele.

– Eu não tenho nada. Nem dinheiro, nem tempo... E me falta coragem. Quero realizar meu sonho um dia, mas não tenho o necessário para partir para a ação.

Ele observou calado o gato por um tempo. Talvez tenha se decepcionado com minha excessiva negatividade.

Com um leve sorriso, voltou o rosto para mim.

– No momento em que existe um "não tenho" as coisas deixam de progredir.

– Como assim?

– É preciso transformar esse "não tenho" em "metas".

Transformar em metas?

Correr atrás do dinheiro, arranjar tempo e… ter coragem?

Permaneci calado. Yasuhara prosseguiu com um sorriso amargurado:

– Eu detesto os seres humanos.

Essas palavras inusitadas partiram de um homem que eu encontrava pela primeira vez e que conversava comigo com tanta gentileza. Que tinha um negócio que lidava diretamente com o público.

– Mas chegou um momento em que achei que deveria fazer um esforço para ouvir o que as pessoas tinham a dizer. O estranho é que, conforme eu fazia isso, diversas oportunidades se abriam e eu estabelecia mais e mais contatos.

O gato tigrado desceu do colo de Yasuhara. Caminhou com elegância em direção ao gato preto e aproximou a cabeça dele como se quisesse lhe transmitir algo.

– Estamos todos conectados! A partir de uma ligação, a rede de conexões vai aos poucos se ampliando. Se você espera o melhor momento para criar algo, isso pode nunca ocorrer. É preciso frequentar vários lugares, conversar com diversas pessoas até estar certo de que viu o suficiente. Com isso, o "um dia" pode muito bem se transformar em "amanhã" – disse Yasuhara enquanto olhava para os gatos. – O mais importante é não deixar passar o momento certo do destino.

Destino.

Essas palavras tinham um peso esmagador.

– Você alcançou seu sonho, não é? – perguntei, olhando-o com inveja.

Eu estava maravilhado. Mas Yasuhara apenas inclinou de leve a cabeça.

– Não considero isso um sonho.

– Hein? Como não?

– Se eu desejasse apenas viver cercado de gatos, livros e cerveja, poderia fazer isso sem abrir uma livraria. Abrir um negócio não é o fim do sonho, porque há outros sonhos a conquistar.

Eu me surpreendi. Ele tinha conquistado o que desejava, mas já procurava algo além.

Só entendi exatamente o que isso significava quando percebi o brilho em seus olhos. Esse parecia ser o verdadeiro objetivo do sonho.

Yasuhara cruzou as mãos sobre a mesa.

– Ryo, por que você deseja abrir uma loja? Por que não, em vez de começar um negócio, apenas colecionar antiguidades?

Essa talvez fosse a pergunta mais importante. E, no fundo, eu já sabia a resposta.

– Vou pensar nisso com calma...

O gato malhado próximo aos meus pés roçava na minha canela. Desci da banqueta para acariciá-lo quando Yasuhara falou:

– Você pretende administrar a loja sozinho?

Eu me surpreendi com a pergunta.

O rosto de Hina me surgiu à mente. Como eu seria feliz se ela estivesse ao meu lado...

– É uma tarefa e tanto fazer tudo isso sozinho. É melhor ter um parceiro, alguém da família ou um amigo, com quem você possa se aconselhar ou se queixar. É estressante quando não se tem alguém com quem dividir o sofrimento.

Dizendo isso, Yasuhara olhou para além da porta de treliça em direção à mulher no caixa.

Então compreendi.

– Ela é sua parceira?

– É minha esposa, Misumi – disse ele com naturalidade.

– O que ela disse quando você decidiu abrir a loja? – perguntei.

– Não disse nada... – falou Yasuhara, abaixando a cabeça.

E tornou a me olhar com um sorriso sereno totalmente diferente dos anteriores.

– Ela simplesmente me acompanhou, sem dizer nada. Sou muito grato a ela.

* * *

No dia seguinte, um domingo, fui sozinho até o Centro Comunitário Hatori. Queria devolver o livro das plantas. Era um pretexto, na verdade, pois eu queria era encontrar alguém.

Devolvi o livro no balcão de entrada. Nozomi o recebeu.

A sra. Komachi estava na seção de consultas, e caminhei até ela.

– Olá. Fui à Cats Now Books ontem.

Ela entreabriu os olhos ao ouvir isso e sorriu com satisfação.

– Os Yasuhara mandaram lembranças – acrescentei.

– Ah, eu e Misumi somos velhas amigas. Ela era minha colega quando eu trabalhava em outra biblioteca. Como ela está?

– Bem. Eles formam um casal maravilhoso – respondi, retirando o gato de feltro de lã da bolsa. – Você me induziu a ir até aquela livraria, não foi? Obrigado. Não vou esperar por "um dia"... Pretendo agir a partir de agora.

A bibliotecária fez um ligeiro movimento negativo com a cabeça.

– Mas você já está agindo.

Fiquei boquiaberto. Ela continuou com serenidade:

– Eu não disse a você para ir. Foi você que encontrou a livraria! Você decidiu e foi por vontade própria se encontrar com o Yasuhara, não é? Você já está agindo!

Ela estalou o pescoço. O gato na minha mão parecia querer despertar a qualquer momento.

✳ ✳ ✳

Precisava encontrar outra pessoa.

Saí do Centro Comunitário e me dirigi à casa de Hina. Enfiei a mão no bolso da calça. Tateei a colher do carneiro, meu amuleto da sorte.

Antes de sair do apartamento pela manhã, tinha telefonado para ela.

Eu me desculpei pelo que aconteceu dois dias antes e disse que gostaria de me encontrar com ela para conversarmos. Ela me pediu para ir até sua casa. Os pais tinham saído.

Chegando lá, toquei a campainha. Ela logo veio abrir.

– Vamos, entre.

Quando atravessei a porta, ela subiu a escada. Eu a acompanhei.

Ela parecia estar fazendo bijuterias em seu quarto. Sobre a mesa havia diversas ferramentas e vidros marinhos.

– Desculpe por anteontem.

Repeti tudo que lhe dissera pela manhã. Fiquei decepcionado por não conseguir dizer mais que isso. Ela não resistiu e gargalhou.

– Tudo bem, você já se desculpou!

Sentindo-me salvo pelo seu rosto sorridente, tirei da bolsa uma garrafa de vinho e taças. Era o vinho que naquela noite ela tinha tentado abrir.

Diante de uma Hina espantada, abri o vinho e o verti nas duas taças.

– Parabéns por ter alcançado sua meta de vendas.
– Obrigada – disse ela abaixando a cabeça, acanhada. – Saúde.

As taças se chocaram, e o vinho balançou como uma onda.

– Hina, você é fantástica! Não só pela meta, mas, acima de tudo, por estar desbravando seus próprios caminhos.

Ela sorriu e pegou um dos vidros marinhos espalhados sobre a mesa.

– Dizem que um objeto feito à mão já tem seu destinatário definido desde o momento em que está sendo criado. Soa meio místico, mas me parece verdade.

– Hum...

– Por isso, eu produzo uma peça pensando na pessoa que vai usá-la. Não consigo ver seu rosto, mas sinto como se estivesse em contato com o futuro dela. Quando penso que o vidro marinho viajou por um longo tempo e, por meu intermédio, ele se dirige ao seu destino, não posso conter minha alegria.

Eu entendia bem o que ela estava dizendo.

Senti o peso do meu tesouro no bolso da calça. A Enmokuya pode não existir mais, mas é o lugar onde encontrei minha colher.

Uma colher que talvez acompanhasse uma xícara quando uma dama da aristocracia desfrutava seu chá da tarde. Quem sabe uma mãe gentil levava sopa à boca do filho pequeno. Esse menino talvez tivesse guardado a colher mesmo após crescer e se tornar adulto. Ou talvez fosse uma colher tão adorada que se tornou motivo de brigas entre três irmãs. Ou, quem sabe...

Talvez eu mesmo a tenha usado quando era criança!

Ela pode ter passado por várias mãos até retornar a mim. Minha colher, que reencontrei na Enmokuya.

* * *

Foi ali que entendi tudo. Quero devolver às pessoas objetos que foram sendo legados de geração em geração ao longo do tempo. Objetos que devem retornar aos seus proprietários originais. Que pertenceram a alguém em determinado momento.

Quero ser um intermediário. Quero providenciar um espaço para que esses encontros aconteçam. Esse é o principal motivo do meu desejo de abrir uma loja.

* * *

– Quero mostrar uma coisa a você.

Retirei da bolsa uma pasta fina que abri diante de Hina.

Era uma lista dos custos estimados para abrir o antiquário e colocá-lo em funcionamento, que elaborei na noite anterior.

Despesas de aquisição de mercadorias, obras de reforma interna, equipamento de ar-condicionado, móveis e outros... Listei os valores inicialmente necessários para a abertura. Incluí aluguel, despesas com luz e aquecimento, material de escritório e estoque. E estimei quanto seria preciso faturar por dia para manter a loja aberta. Era um esboço com valores calculados do meu jeito depois de muita reflexão.

– Quero começar os preparativos para abrir minha loja. Mas não pretendo me demitir da empresa. Vou manter meu emprego e administrar a loja ao mesmo tempo.

Hina levou ambas as mãos à boca, seus olhos brilhavam.

– Que maravilha, é perfeito! Estou orgulhosa de você, Ryo!

"Então... você pode me ajudar?"

Eu engoli essas palavras, que equivaleriam a um pedido de casamento.

Não sei se terei sucesso na empreitada e, se casássemos antes de abrir a loja, talvez isso causasse transtornos a Hina. Não, talvez não: com certeza.

Realmente, é melhor deixar o pedido de casamento para depois. Um dia, quando a compatibilidade entre ser dono da loja e assalariado tiver entrado nos eixos, quem sabe...

Ah, de novo "um dia". Meu coração se contraiu ao perceber. Eu sou mesmo muito diferente de Yasuhara. Não consigo me tornar um homem capaz de passar confiança suficiente a Hina para ela desejar estar ao meu lado.

Eu estava me sentindo um caco, mas, para minha surpresa, ela pensava diferente:

– Ryo, vamos nos casar! O quanto antes.

– Hein?

Como o pedido partiu dela, eu, o covarde, precisava agir. Eu me lembrei do sr. Ebigawa e seu problema com a polícia, e disse, titubeante:

– Mas se a loja fracassar e for à falência...

– E daí se isso acontecer?

Sua resposta me pegou de surpresa.

Era diferente.

O sr. Ebigawa se envolveu em um caso de polícia por ter desaparecido sem liquidar um empréstimo. Não porque a loja faliu.

– Mesmo que a loja venha a falir, ninguém vai morrer por causa disso. Você só não quer ser visto como um fracassado, não é? Esse tipo de orgulho besta é desnecessário! As coisas funcionam melhor quando trabalhamos como um casal em vez de contratar alguém.

Como um casal... Ela não me "ajudaria"; nós trabalharíamos juntos, "como um casal".

Isso me encheu de coragem.

O mesmo deve ter acontecido com Yasuhara. Quando ele disse que Misumi o acompanhara sem dizer nada significava que os dois uniram forças. Afinal, ele disse que ela era sua parceira.

Não havia uma hierarquia; ambas as profissões de Yasuhara

tinham a mesma importância. Talvez seja o mesmo no caso de um casal.

Hina olhava o vazio como se refletisse.

– Com essa decisão, há muita coisa para se pensar! Ryo, é preciso também ir à polícia.

– Polícia?

– Isso! São eles que recebem os pedidos de alvará de comércio de antiguidades.

Ela tinha razão. Eu ri sem querer. No fim das contas, eu teria que falar com a polícia.

Hina pousou o dedo no queixo.

– Depois temos que fazer *crowdfunding*, para começo de conversa.

Eis uma palavra que apareceu na entrevista de Yasuhara. É o sistema de pedido de doação on-line para reunir fundos para um empreendimento.

– Isso não deve ser fácil para um novato – resmunguei, um pouco intimidado pelas ideias dela.

Pasma, ela replicou:

– O *crowdfunding* é feito justamente para novatos!

Ela se inclinou sobre mim e me questionou:

– O que você acha que faz o mundo girar, Ryo?

– Hum... Bem, o amor e coisas assim.

Ao ouvir minha resposta, Hina arregalou os olhos e soltou uma exclamação.

– Ah. Que maravilha! Adoro esse seu jeito.

Depois ela falou, séria:

– Na minha opinião, é a confiança.

– Confiança?

– Isso mesmo! Para obter um empréstimo bancário, para pedir e conseguir um trabalho, para encontrar amigos, comer em um restaurante, tudo se baseia na confiança mútua.

Ela falava sem titubear.

Hina tinha mais informações do que eu, refletia mais a respeito das coisas e estava antenada a tudo. Era do tipo que vai à luta. Eu estava impressionado.

Não, na realidade... Talvez eu apenas fingisse não perceber.

Ela frequentava aulas de informática porque tinha decidido abrir uma loja virtual. Fazia perguntas inteligentes ao instrutor Mogi. Para ela não havia um "sonho vago desconectado do mundo real", mas uma realidade bem pé no chão. Meu "orgulho besta" por ser homem e dez anos mais velho me fazia desviar os olhos dos talentos dela.

– É bem complicado fazer um *crowdfunding* com a única intenção de reunir fundos. Não se sabe se será possível arrecadar o suficiente para abrir o negócio. Mas é um incrível instrumento de publicidade. Se você falar com paixão, as pessoas confiarão em você. Aposto que uma pessoa inexperiente falando com verdade e sinceridade vai tocar os corações. Quando a loja começar a funcionar, quem doou vai frequentá-la com gosto!

Ouvindo-a, meu coração começou a bater acelerado.

Visto de fora parecia um sonho, mas para nós que estávamos dentro dele era absolutamente real.

– Estou muito entusiasmado! – falei, apertando o peito.

Ela segurou meu braço com ar jovial.

– É isso! Se você se entusiasma, é sinal de que sua escolha é correta, com certeza!

Quando meus olhos se fixaram no pequeno frasco em um canto da mesa dela, eu me recordei das palavras de Yasuhara: "O mais importante é não deixar passar o momento certo do destino."

Dentro do frasco, guardado com carinho por Hina, estava o vidro marinho vermelho.

Foi a peça que eu encontrei e lhe dei no dia em que nos conhecemos à beira-mar. Depois nos reencontramos no Big Sight.

Tudo bem, sei que vou conseguir. Uma forte convicção enche de coragem o meu coração.

Eu não deixaria meu destino escapar.

* * *

No início da semana, fui chamado à sala do presidente.

Redução de salário, rebaixamento de cargo ou, quem sabe, demissão. Justo quando eu pensava em me lançar em uma carreira paralela, perder o emprego não fazia parte dos planos.

No entanto, o presidente me convidou a entrar e amavelmente se desculpou.

– A Miya lhe causou muito transtorno. Sinto muitíssimo.

Ele falava de Yoshitaka.

– Na sexta-feira, o departamento pessoal me contou o ocorrido. Quando perguntei para ela, Miya repetiu a história, mas no sábado encontrei com o Tabuchi quando fui jogar golfe.

– Com o Tabuchi?

– Quando comentei o caso, ele ficou furioso e frisou que você jamais faria uma coisa assim. Disse que não havia um homem mais confiável e sincero do que você em toda a empresa.

Arregalei os olhos. Tabuchi tinha dito isso mesmo ciente de que Yoshitaka era sobrinha do presidente!

– Fiquei surpreso! Conheço o Tabuchi há muito tempo, mas foi a primeira vez que o vi tão furioso. Por isso, tive uma conversa séria com a Miya. Ela reconheceu que errou.

Foi exatamente como Hina dissera.

O presidente confiava em Tabuchi, que por sua vez confiava em mim... O mundo gira na base da confiança.

* * *

Yoshitaka tirou um dia de folga e, na manhã seguinte, apareceu para trabalhar com uma expressão de indiferença no rosto.

Ela se postou diante de mim e disse um lacônico "Sinto muito".

Ao vê-la assim, sem olhar para mim, amuada e com a cabeça baixa, apenas respondi que tudo bem, dando o caso por encerrado.

– Urase, você foi muito generoso ao perdoá-la. Mas, por dentro, ela deve estar zombando de você – disse Tabuchi assim que Yoshitaka saiu para uma tarefa.

Sorri com amargura.

– Não, se ela não pediu demissão e veio trabalhar, é porque deve estar se sentindo culpada! Por isso vou confiar nela a partir de agora.

Tabuchi contorceu os lábios sem saber como reagir. Eu lhe entreguei três folhas de papel.

– Esse é um manual do novo software. Fiz um apanhado dos pontos problemáticos.

– Nossa, que fantástico! Vai me ajudar muito.

Ele assentiu admirado ao ver o manual que eu tinha preparado. Com isso, não precisaria mais interromper o trabalho para vir me perguntar várias vezes a mesma coisa.

– Vamos ser eficientes!

Em primeiro lugar, como assalariado, vou organizar meu método de trabalho. Não farei horas extras desnecessárias. Esse era um dos requisitos para ter uma carreira paralela.

– Urase, você está diferente hoje. O que acha de irmos beber algo mais tarde? – sugeriu Tabuchi.

– Não, obrigado. Hoje vou voltar para casa no horário normal.

Hoje à noite tenho um encontro marcado com Nasuda. Daqui para a frente, vou buscar com ele informações sobre endereços comerciais, imobiliárias e reforma de interiores.

Hina também continua conversando com o instrutor Mogi. Ele ficou de lhe apresentar o caminho para a venda de minerais.

Continuamos a agir como se puxássemos fios invisíveis que, em determinado momento, se ligarão um ao outro.

Havia inúmeras coisas a fazer, mas decidi parar de usar a "falta de tempo" como justificativa. Procurava pensar no que poderia fazer em um "tempo limitado".

"Um dia" se torna "amanhã".

O carneiro gravado no cabo da colher desatou a correr dentro de mim.

Natsumi, 40 anos, ex-editora de revistas

Todos aprendemos em algum momento da infância que "Papai Noel não existe", mas se a figura do Papai Noel continua existindo no Natal não é pelo fato de as crianças ainda acreditarem nele. É porque os adultos, que um dia foram crianças, continuam a mantê-lo no coração e ainda escolhem viver acreditando na sua existência.

Quantas vezes li essas palavras?

Elas eram de um livro que eu amava, com uma capa branca reluzente. Eu o levava aonde quer que fosse, como um talismã. Os post-its coloridos que eu colava nele se destacavam naquela brancura toda.

Dezembro apareceu no calendário esta manhã. O Natal se aproxima. Que presente darei à minha filha Futaba, Papai Noel?

Três meses se passaram desde os acontecimentos do verão, pensei, sentindo na pele os raios de sol do novo mês.

Olho pela janela. No alto, a lua crescente ainda está ligeiramente visível no céu azul do meio-dia.

* * *

Três meses antes.

Terminadas as férias de verão, toda a empresa retomou o ritmo de sempre.

Trabalho na editora Banyusha, no departamento de documentação e pesquisa. Minha função é arquivar as publicações, procurando dados antigos solicitados pelos funcionários e encomendando o material bibliográfico necessário. Meu departamento também é responsável pela elaboração de textos e outros materiais sobre a editora a serem divulgados para o público.

Além de mim, o departamento conta com cinco funcionários, todos homens carrancudos de meia-idade. Embora eu tenha sido transferida para cá há dois anos, ainda não me sinto bem entrosada com eles.

Antes de ser transferida, eu era do departamento editorial da *Mila*, uma revista voltada sobretudo para mulheres na casa dos 20 anos.

Estou na Banyusha há quinze anos e sempre trabalhei com muito afinco. Quando fiquei grávida, aos 37 anos, não foi planejado, embora não tenha sido exatamente uma surpresa. E era algo que eu desejava. Achei que seria bom ter um bebê nessa idade para minimizar os riscos à minha saúde, e planejei voltar rápido ao trabalho para minimizar os riscos à minha carreira.

Não posso negar que exagerei um pouco na dose. Só contei sobre a gravidez ao editor-chefe, e, mesmo assim, só quando entrei no quinto mês. Não queria ver todo mundo se preocupando comigo. Aguentei em silêncio os enjoos matinais e a sonolência avassaladora provocada pelas alterações hormonais.

Quando a barriga estava tão grande a ponto de não dar mais para disfarçar, contei a todos e fiz questão de deixar claro que não era porque estava grávida que eu não conseguiria fazer o meu trabalho.

Trabalhei até o último mês de gravidez e dei à luz em janeiro.

Voltei à editora quatro meses depois, apesar de ter direito a quase um ano e meio de licença-maternidade. Hesitei em deixar Futaba na creche, mas queria voltar quanto antes.

É claro que assim que retornei fui direto ao departamento editorial da *Mila*.

Uma colega que havia tempos eu não via me saudou com um "Bem-vinda", mas com certo desconforto. Foi quando o editor-chefe me chamou à sua sala.

– Sakitani, venha aqui um momento, por favor.

E ele de pronto me informou de minha transferência para o departamento de documentação e pesquisa.

– Por quê? – perguntei, com a voz trêmula.

– É complicado criar uma criança tão pequena trabalhando num editorial – respondeu ele com tranquilidade.

– Mas eu...

Eu tinha inúmeros questionamentos. E muita raiva.

Por quê? Por quê? Por quê? Durante minha licença, eu checava todo mês a *Mila* de cabo a rabo, lia as matérias e traçava planos para quando retornasse. Queria me manter atualizada.

Mas, ao que parecia, tudo o que eu construíra na revista em treze anos não significava nada. Eu não teria deixado nada ali que fizesse valer a pena esperarem por mim? Nunca imaginei que perderia meu cargo.

– O departamento pessoal também quer garantir que você retorne cedo para casa, cumprindo o horário das nove da manhã às cinco da tarde.

O editor-chefe queria me tranquilizar, mas retruquei com eloquência, sem interrupção:

– Posso conciliar meu trabalho e a criação da minha filha sem problema nenhum. Conversei com meu marido e vamos colaborar um com o outro. E, no caso de horas extras e reuniões à noite, estamos entrevistando algumas babás...

– A decisão está tomada. Não há necessidade de se esforçar tanto, pois o trabalho no departamento de documentação e pesquisa é bem mais leve – interrompeu ele, parecendo irritado.

Talvez fosse a primeira vez na vida que eu experimentava uma sensação de real desespero. Pela ótica da empresa, devia ser uma boa decisão. Contudo, eu não queria ter minha vida facilitada. Sentia como se me dissessem que não era mais necessária.

Eu era a única mulher com filhos na Banyusha. Não havia precedentes. Fui muito otimista por achar que as coisas mudariam.

Dois anos se passaram desde então. Pensei repetidas vezes em procurar emprego no editorial de outra revista. Mas a verdade era que a divisão de tarefas com meu marido não estava funcionando e ocorriam muitos imprevistos na criação da nossa filha. Ao contrário do que imaginei, eu nunca tinha tempo livre. Foi duro reconhecer que talvez fosse mesmo complicado continuar trabalhando no editorial, onde precisaria atuar em equipe e respeitar cronogramas rígidos. Acabei concluindo que era melhor permanecer quieta no departamento de documentação e pesquisa até minha filha crescer mais.

Os ponteiros do relógio indicavam um pouco mais de cinco horas. Sem fazer barulho, pendurei minha bolsa no ombro, me afastei da minha cadeira e saí no corredor. No departamento, todos ainda trabalhavam, compenetrados. Mesmo ciente de que eu estava saindo no meu horário, me sentia culpada.

A creche de Futaba ficava a poucos minutos a pé da estação de trem, mas a estação ficava um pouco longe da editora. Mesmo saindo às cinco, se perdesse um trem eu acabava me atrasando. Doía ver Futaba sozinha, a última criança à espera da mãe.

Levava sete minutos a passos rápidos até a estação. Nos primeiros três eu ainda me sentia mal pelos colegas que continuavam trabalhando. Nos últimos quatro, me sentia mal por deixar Futaba esperando. Atravessava a catraca dizendo para mim mesma: "Desculpe, desculpe todo mundo."

Meu marido, Shuji, com certeza também voltará tarde esta noite. Balançando dentro do trem, eu olhava distraída pela janela a luz do dia iluminando tudo.

* * *

Ontem, sexta-feira, Shuji havia me dito que precisaria viajar a trabalho no fim de semana. Ele trabalha em uma empresa de eventos, e sinto que as horas extras e as viagens têm acontecido com mais frequência. Talvez tenha sido mesmo uma decisão de última hora, mas ele bem poderia ter me avisado com mais antecedência.

Normalmente tenho muitas coisas para fazer. Mesmo no que se refere à creche, não me limito a levar e trazer nossa filha – todas as noites preciso arrumar a bolsa e o lanche dela para o dia seguinte, verificar a agenda para ver se há algum recado, etc. Se não bastasse, nos fins de semana também preciso fazer as coisas que não pude fazer durante os demais dias: arrumar a casa, limpar o banheiro, ir ao mercado...

Na realidade, nada disso é urgente. Quando Shuji está fora, não me importo de deixar o banheiro um pouco sujo ou de comer qualquer besteira que tenha sobrado na geladeira.

O mais duro é ter que fazer sozinha as tarefas domésticas e ao mesmo tempo cuidar de Futaba sem poder contar com o apoio de Shuji quando ele não está em casa.

Ele é um pai carinhoso. Não reclama de trocar fraldas e, quando Futaba desmamou, ele procurava receitas de papinha e as preparava por conta própria. O olhar que direciona a nossa filha é amoroso e gentil. Mesmo nos momentos de crise, a presença de

Shuji me alivia. Mas fico muito tensa quando estou sozinha com uma criança pequena da qual não posso tirar os olhos nem por um segundo.

É claro que amo Futaba. Mas também me sinto insegura e impotente quando estou cuidando sozinha da nossa filha. São questões totalmente diferentes.

Shuji saiu bem cedo e eu o acompanhei até a porta. Pensei em voltar a dormir, mas Futaba havia acordado. Sabe-se lá por quê, ela costuma acordar cedo nos dias de descanso.

Depois de terminarmos o café da manhã, ela tirou tudo o que havia na caixa de brinquedos e começou a brincar. Enquanto isso, estendi as roupas lavadas no varal da varanda.

Os lençóis de Futaba tomavam muito espaço e tive que juntar mais os cabides na barra. Sempre preciso mandar lençóis limpos para a creche na segunda-feira, então tenho que lavá-los no fim de semana.

Já começo a semana cansada, mas, quando falei com Shuji sobre isso, ele apenas disse "Ah, é?". Ele não demonstrou interesse nem me ouviu de verdade, e só de lembrar eu me sinto decepcionada de novo.

Quando voltei da varanda para a sala de estar, Futaba estava de olhos pregados na tevê assistindo a um desenho animado, os brinquedos espalhados pelo chão.

– Futaba, se não vai mais brincar, arrume tudo.

– Não.

– Se deixar tudo espalhado, eu vou jogar seus brinquedos fora, ouviu?

– Não. Não joga, não!

– Então vamos guardar.

– Não.

Ela estava na fase de refutar tudo, um comportamento típico em crianças de 2 anos. Um livro sobre formação infantil dizia que, por se tratar de uma fase importante do processo de crescimento, era preciso tratar a criança com carinho, sem brigar com ela. Acalmei minha irritação imprópria para adultos e, passando por cima dos brinquedos, me dirigi à cozinha.

Lavei o copo dela, que eu havia deixado na noite passada dentro da pia. Era do tipo que, ao abrir a tampa, o canudinho saía, fácil de sujar e difícil de lavar. Para deixar bem limpo, removi o bocal com manchas de chá e o coloquei numa solução de detergente. Essa era uma das tarefas do fim de semana. Pode não parecer, mas esses trabalhos triviais e minuciosos tomam bastante tempo. É impossível relaxar durante os dias de descanso.

Tempo. Tempo. Se estivesse à venda, eu compraria.

Suspiro, achando que não tenho o dom da maternidade. Achava que me sairia melhor. Ficar enfurnada sozinha com Futaba no mesmo espaço por dois dias seguidos era demais para mim.

Pensei em irmos ao parque, mas, para ser sincera, não gosto de socializar com outras mães. Melhor não.

Em que outro lugar eu poderia ter um tempo tranquilo com Futaba? Era bem trabalhoso visitar o aquário e o zoológico, e mesmo para ir à biblioteca do distrito, que tem pouquíssimos livros, precisava pegar um ônibus.

Lembrei que, quando fui buscar Futaba na creche certa vez, o diretor comentou que havia um espaço infantil na biblioteca do Centro Comunitário.

Acho que o Centro Comunitário é anexo à escola primária que Futaba vai frequentar um dia. Como eu ouvi isso justo quando estava indo embora, não prestei muita atenção, mas procurando na internet vi que o lugar parece bem organizado. Há diversas salas onde acontecem cursos variados voltados a adultos.

A escola primária fica a uns dez minutos a pé de casa. Serve como um passeio e também para dar uma espiada onde Futaba vai estudar um dia.

– Filha, vamos dar uma volta?

Ela, que estava agachada diante da tevê, levantou de um salto. Que ótimo. Parece que passear ela não nega.

* * *

Seguimos o caminho de mãos dadas com Futaba saltitante. O chapéu de palha em sua cabeça balançava.

– Estou usando *mêlias*.

Não contive um sorriso ao ver a expressão de alegria quando ela levantou o rosto e disse isso. *Mêlias*. Ela se referia às meias com desenhos de gatinhos que tanto adora. Esse é o lado fofo da minha filha.

Ao cruzar o portão da escola e contornar o muro, havia uma placa com o desenho de uma seta: "Centro Comunitário nesta direção." Era um prédio branco na entrada de uma ruela. Na recepção escrevi meu nome, o objetivo da visita e o horário de entrada. A biblioteca ficava nos fundos do térreo.

Ao entrar, vi ao fundo à direita o espaço infantil. Estava cercado por estantes baixas e com o chão coberto por um tapete de borracha. Havia uma mesa baixa com os cantos arredondados. Era preciso tirar os sapatos para entrar.

Não havia outros visitantes. Fiquei aliviada, tirei os meus sapatos e os de Futaba e nos sentamos no chão.

Totalmente cercada por livros infantis, eu relaxei. Peguei alguns na estante.

Por hábito, verifico a editora de cada um deles. Som do Céu. Maple. Edições Nebulosa. Os nomes das editoras de livros infantis têm sons agradáveis.

Futaba começou a tirar as meias. Até então estava tão alegre com elas!

– Está com calor, meu bem?
– Descalço. O Jerob descalço.
– Jerob?
Eu a entendo bem, mas às vezes ela solta palavras incompreensíveis. Enrolei as meias que ela tirou e as coloquei na bolsa. Ela começou a ir e vir em frente às estantes.
Do outro lado das prateleiras apareceu o rosto de uma moça com rabo de cavalo.
– Ela deve estar se referindo a *Gelob*.
De avental azul-marinho, ela carregava alguns livros. Sem dúvida é funcionária da biblioteca. No crachá pendurado no pescoço lia-se Nozomi Morinaga.
– *Gelob de pés descalços* é uma série de livros muito popular! É a história de uma centopeia – disse ela com um sorriso fresco, como um botão de flor.
– É? Centopeia...
Com um sorriso discreto, Nozomi tirou os sapatos e entrou no espaço infantil. Deixou os livros que segurava sobre a mesa baixa e com destreza retirou um da estante, entregando-o a Futaba.
– Gelob! – Futaba deu um grito e se atirou sobre o livro.
Ela devia conhecê-lo da creche. Virando as folhas, apareceram desenhos da centopeia se esforçando para enfiar os pés nos sapatos. Metade de suas inúmeras patas estava nua, a outra calçada com diversos sapatos. Não eram ilustrações exatamente fofas. Enquanto eu observava os desenhos estranhos e deformados, Nozomi explicou:
– O Gelob não agrada muito os adultos, mas as crianças o adoram! Na história há também uma mosca e uma barata e é bom ver que elas também recebem carinho! É um livrinho incrível, criado a partir da visão das crianças, sem preconceitos em relação a insetos tidos como nocivos.

Ela é uma fantástica conhecedora de livros. Eu assenti, admirada.

– É possível pegar emprestados os livros daqui?

– Sim, para os moradores do distrito. Se procura por outros livros, pode falar com a bibliotecária sentada ali no fundo.

Nozomi apontou para o outro lado da biblioteca. Havia um anteparo dificultando a visão, mas uma placa pendia do teto: "Seção de consultas".

– Pensei que você fosse a bibliotecária – falei, e Nozomi, encabulada, agitou a mão num sinal negativo.

– Não, ainda estou aprendendo. Eu me formei no ensino médio e, para me tornar bibliotecária, preciso ter três anos de prática. Ainda estou no primeiro ano e tenho que me esforçar bastante.

Nozomi tinha olhos grandes e cheios de esperança. Era tão jovem que fiquei emocionada e surpresa com a sua coragem em querer acumular "prática" para conseguir trabalhar com o que queria.

Lembrei que, assim como ela, eu no passado também tive algo que desejava realizar e me empenhei na busca de um emprego.

Desejava trabalhar em uma editora de livros. Mas, como eu adorava a revista *Mila*, fiquei exultante quando consegui meu cargo.

Cinco anos atrás, consegui serializar na *Mila* um romance da escritora Mizue Kanata. Na época, ela tinha 70 anos e o editor-chefe argumentou que os escritos dela talvez não combinassem com uma revista voltada a jovens adultas. Ainda mais por ser romance, e não contos, ele recusou categoricamente, alegando que não era adequado para a revista.

No entanto, eu estava convicta de que as palavras da autora reverberariam nos corações femininos. Ela até então escrevera romances históricos e literatura clássica, mas eu tinha certeza de que a mensagem de esperança oculta em seus textos emocionaria as mulheres na casa dos 20. Imaginei que, se adaptássemos seu enredo e sua forma de escrever às leitoras da *Mila*, elas desejariam saber o que acontece adiante na história e comprariam felizes a revista todo mês.

Quando levei o assunto ao diretor, ele fez pouco caso:

– Se você conseguir persuadir a autora, podemos tentar.

Sua maneira de recusar foi diferente da do editor-chefe. A justificativa dele era que uma escritora de renome jamais se sujeitaria a escrever para uma revista feminina como a *Mila*.

Parti então para o ataque, tentando convencer Mizue Kanata. De início ela recusou. Foi evasiva, dizendo que seria um trabalho estafante escrever para uma revista mensal no formato de folhetim.

Mas pedi inúmeras vezes. Implorei mostrando como eu desejava transmitir a moças batalhadoras a força e o otimismo contidos em seus romances. E me comprometi em lhe prestar total apoio.

Na minha quinta abordagem ela finalmente cedeu e concordou. Disse estar curiosa para ver que tipo de história resultaria dessa colaboração comigo.

O plátano rosa, seu romance em folhetim descrevendo a relação entre duas moças de temperamentos díspares, nem amigas nem rivais, logo se transformou nas páginas principais da *Mila*. O faturamento cresceu consideravelmente. Bastante aclamada pelos críticos, a série chegou ao fim após um ano e meio e decidimos transformá-la em livro. A Banyusha não tem um departamento literário, por isso eu me encarreguei de compilar a série em um volume e promovê-lo junto às livrarias. Como eu continuava encarregada da edição da *Mila*, nunca, desde meu ingresso na empresa, trabalhei tanto como naquela época, mas todo dia eu chegava a vibrar de alegria!

Depois disso, o romance foi agraciado com o grande prêmio

anual de literatura Bookshelf. A empresa ficou em polvorosa. Era um caso excepcional uma editora como a Banyusha, especializada em revistas, receber os holofotes do mundo literário. Ao cruzar com o diretor no corredor, ele me parou e insinuou, entre outras coisas, que eu seria promovida a editora-adjunta.

Logo depois descobri a gravidez. Não vou negar que estava apreensiva em entrar em licença-maternidade. No entanto, estava confiante por ter aumentado os lucros da empresa. Adorava meu trabalho, tinha conseguido estabelecer uma relação de confiança com Mizue Kanata e desejava me empenhar cada vez mais tão logo retornasse ao batente. O cargo de editora-adjunta era a cristalização de todos os meus esforços.

Porém...

Eles o tiraram de mim. Toda a minha experiência e o meu esforço não foram reconhecidos.

Se não era para retornar ao editorial, em vez de estar sempre pensando no trabalho durante minha licença, eu deveria ter dado mais atenção a Futaba. Em vez de me empenhar em coletar informações e traçar planos, poderia ter aproveitado o tempo precioso enquanto ela dormia para deitar ao lado dela, ver séries e filmes, me dedicar a meus hobbies.

Tudo era incompleto, nada me trazia satisfação; minhas mãos estavam atadas pelas obrigações cotidianas.

O que eu posso fazer? O que eu deveria ter feito? Pareço estar andando em círculos. Dentro de um labirinto sem saída, me queixar não me faria avançar um passo sequer.

Sentada no chão da biblioteca, perguntei a Futaba, que estava com um livro aberto:

– Que tal irmos procurar livros interessantes?

Apesar de me ouvir, ela não emitiu um não sequer. Continuou de olhos grudados na centopeia.

– Eu tomo conta dela, pode ir.

– Ah, mas...

– No momento não há outros visitantes, não se preocupe.

Aceitei a sugestão de Nozomi e pus meus sapatos. Se eu puder pegar emprestados alguns livros, talvez consiga passar o fim de semana com tranquilidade.

Passei pelo anteparo, que também servia como mural de avisos, e ao olhar a seção de consultas parei instantaneamente.

No outro lado do balcão, havia uma mulher grande e muito branca. Não dava para discernir bem sua idade, mas devia beirar os 50. Ela usava um avental creme e sua pele esticada era alva e não tinha uma mancha sequer.

Com expressão taciturna, cabisbaixa, a bibliotecária se concentrava em uma tarefa minuciosa. Eu me aproximei, curiosa para saber o que estava fazendo. Ela espetava uma agulha em um tufo de lã posto sobre uma almofada de espuma.

Ah, eu sei o que é isso. Feltragem com agulha. Uma vez, saiu uma matéria especial na *Mila* sobre essa técnica. Criam-se formas espetando-se inúmeras vezes uma agulha em um tufo de lã macio como algodão.

Ou seja, era um trabalho manual. Ela devia estar fazendo um mascote ou algo do gênero. Parecia de fato coisa de desenho animado uma mulher com a expressão tão fechada fazendo um objeto tão delicado. Intrigada, olhei fixo para suas mãos.

Bem ao lado dela havia uma caixa laranja-escura. Era dos biscoitos Honey Dome. São cookies macios, deliciosos, em formato semiesférico, com um recheio generoso de mel. É popular entre pessoas de todas as idades e eu mesma ofereci uma caixa deles a Mizue Kanata. De repente, senti certa familiaridade com a bibliotecária, que apreciava os mesmos biscoitos que eu.

O movimento das mãos dela cessou bruscamente. Ela me encarou a ponto de me deixar constrangida.

– Ah, desculpe...

Não havia motivo para eu me desculpar, mas, enquanto eu começava a recuar, ela me perguntou:

– O que você procura?

Senti meu corpo sendo envolvido pela sua voz.

Era uma voz estranha. De tom monocórdico, não era gentil nem alegre. No entanto, tocava algo bem fundo no peito que me dava vontade de me entregar a ela de corpo e alma.

Percebi que havia muitas coisas que eu procurava. O caminho que devo trilhar daqui para a frente? Uma forma de resolver minhas frustrações? "Tempo livre" para mim enquanto crio minha filha? O lugar onde eu poderia encontrar essas coisas?

Entretanto, aqui não é um consultório de terapia.

– Livros para crianças – me limitei a responder.

No crachá em seu peito estava escrito Sayuri Komachi. Que nome bonito! Bibliotecária Komachi. Ela destampou a caixa de Honey Dome e guardou a agulha. Pelo jeito, usava a caixa vazia para guardar o material de costura.

– Livros infantis. Temos muitos aqui! – disse ela.

– É para minha filha de 2 anos. Ela adora *Gelob de pés descalços*.

– *Gelob* é uma obra-prima! – exclamou balançando o corpo.

– Talvez do ponto de vista de uma conhecedora do assunto… Eu não entendo bem do que as crianças gostam – balbuciei.

Komachi inclinou de leve a cabeça. No coque com os cabelos bem puxados estava espetado um grampo com um enfeite de cachos de flores brancas. Ela devia apreciar muito a cor branca.

– Bem, criar um filho é uma coisa que se aprende na prática, não? É bem diferente do que se imagina.

– Sim, sim, é assim mesmo – concordei.

Senti que alguém finalmente me compreendia e, quando me dei conta, estava abrindo meu coração.

– É uma diferença tão imensa quanto achar o Ursinho Pooh uma gracinha e viver com um urso de verdade.

Ela soltou uma gargalhada repentina e vigorosa que me surpreendeu. Não imaginei que ela pudesse emitir esse vozeirão. Até porque eu não disse isso em tom de brincadeira.

Ao mesmo tempo me senti mais tranquila. Eu podia expressar o que sentia. Por isso aproveitei a oportunidade.

– Estou em um impasse desde o nascimento da minha filha... Vivo impaciente por não poder fazer o que desejo, e não esperava que fosse desse jeito. Realmente o mais importante é minha filha, mas criar uma criança é mais difícil do que eu esperava.

Ela parou de rir e voltou a falar com um jeito calmo:

– Crianças não nascem de um jeito agradável. O parto foi um grande evento em sua vida, não foi?

– Foi. Passei a valorizar todas as mães do mundo.

– É assim mesmo.

Ela assentiu de leve e voltou o rosto para me olhar direto nos olhos.

– Eu penso o seguinte – continuou. – Foi difícil para minha mãe, mas eu também tive que suportar um sofrimento considerável e empenhar todas as minhas forças para nascer. Durante nove meses, tomei forma humana dentro do ventre dela sem ninguém para me ensinar como fazer e acabei sendo expelida para um ambiente insólito. Ao entrar em contato com o ar deste mundo devo ter ficado muito espantada. "Que lugar é esse, afinal?" Se bem que eu me esqueci de tudo. Portanto, sempre que me sinto alegre ou feliz digo para mim mesma que valeu a pena me esforçar para nascer.

Eu fiquei sem palavras, emocionada. Komachi se virou para o computador.

– O mesmo acontece com você! Talvez você nunca tenha se esforçado tanto quanto na hora do seu nascimento. Tudo o que veio depois não é tão árduo quanto aquele instante. Se você suportou uma coisa fantástica como aquela, todo o resto é superável.

Tendo dito isso, ela se empertigou e colocou as mãos sobre o teclado. *Tatatatatatata.* Digitou com uma velocidade estonteante. Seus dedos pareciam ter se transformado numa máquina. Eu a olhava estupefata. Por fim, ela bateu com energia numa tecla. No instante seguinte a impressora começou a fazer barulho.

No papel que saiu dela havia uma lista com o título de alguns livros, seu autor e o número da estante onde se encontravam. Olhei para a folha que ela me entregou.

Senhor Popon. Bem-vindo de volta, Tonton! Que é isto, isto é o quê? Esses três eram sem dúvida livros infantis. Porém, meus olhos estacionaram no título abaixo deles. *A porta da lua,* de Yukari Ishii.

Eu conhecia essa escritora. Ela postava diariamente o horóscopo nas redes sociais. Uma colega da época da *Mila* a seguia. Eu não ligo muito para horóscopo, mas, como sabia que mulheres jovens costumam gostar, planejei um número especial com consultas a uma astróloga. No entanto, eu mesma nunca lia o horóscopo mensal.

Até imaginei que Yukari Ishii tivesse lançado algum livro destinado ao público infantil, mas a indicação de categoria desse livro e o número da estante eram diferentes dos outros.

– É um livro de astrologia? – indaguei.

Sem responder à minha pergunta, ela se curvou um pouco, abriu várias gavetas sob o balcão e me ofereceu algo que retirou da terceira delas.

– Tome, é para você.

Era um trabalho de feltro de lã bem arredondado. Uma esfera azul com manchas verdes e amarelas.

Um globo terrestre?

– É lindo. Foi você que fez? Minha filha vai adorar.

– É um brinde para você.
– Para mim?
– Um brinde do livro *A porta da lua*.

Não entendi bem o que ela queria dizer. Ao me ver confusa, Komachi pegou a agulha e disse:

– O incrível na feltragem com agulha é poder fazer mudanças à vontade no meio do caminho. Mesmo estando quase pronto, é fácil alterar a ideia enquanto se está fazendo.

– Ah, é? Mesmo saindo do plano original?

Ela se calou. Olhando para baixo, voltou a espetar a agulha na bola de lã. Não parecia mais disposta a falar comigo.

Suas maneiras demonstravam que seu serviço chegara ao fim, o que dificultou manter a conversa. Coloquei o globo terrestre dentro da bolsa e me dirigi ao espaço infantil.

Nozomi lia para Futaba. Aproveitei e fui procurar *A porta da lua* na estante.

O livro tem uma capa azul, com uma meia-lua branca desenhada.

Não só a capa e a contracapa, como também as bordas das páginas, tudo era tingido de azul. Era uma cor profunda e distante, nem sombria nem vívida. E, ao abrir a capa, a guarda era preta como nanquim. Abrindo o livro, via-se uma folha creme cercada por uma moldura azul-escura. A sensação ao percorrer com os olhos as palavras ali escritas era de se estar lendo o livro à noite.

Folheei algumas páginas até a palavra *mãe* me chamar a atenção.

No mundo astrológico, a lua representa, entre outras coisas, as emoções, o corpo, as experiências da infância, a mãe, a esposa.

A lua representava a mãe e a esposa?

Costuma-se chamar a mãe de "sol da família", pois ela deve estar sempre alegre e sorridente. Curiosa, voltei alguns parágrafos e deparei com uma passagem muito interessante.

No texto, as imagens do corpo da mãe e da lua se sobrepunham, assim como o ventre crescido da mulher grávida e seu ciclo menstrual com as fases lunares. Tomava como exemplo Ártemis, deusa virgem da lua, ou a Virgem Maria, para uma reflexão sobre o simbolismo conjunto da virgindade e da maternidade.

O estilo era refinado, mas de fácil compreensão, penetrando com facilidade na mente. O livro não era sobre astrologia: era uma narrativa que visava fazer o leitor se familiarizar com a lua. No perfil de Yukari Ishii na cinta da capa, ela não era denominada "astróloga", mas "escritora". Fiquei com vontade de ler o livro com calma e decidi pegá-lo emprestado.

Fui ao espaço infantil e, seguindo a lista, procurei os três livros selecionados pela bibliotecária, além do *Gelob de pés descalços* que Futaba não largava. Pedi a Nozomi para fazer um cartão de empréstimos e levei um total de cinco livros.

– Eu carrego – insistiu Futaba.

Com os sapatos calçados sem meias, ela segurava o *Gelob*. Meu fim de semana fora salvo por uma centopeia. Senti uma enorme gratidão pelo autor do livro e sua editora.

* * *

Só quem cria um filho pode entender a dificuldade de se concentrar para ler um livro em casa. Somente hoje, segunda-feira, pude ler algumas páginas de *A porta da lua* no trem a caminho do trabalho.

Quando eu estava na *Mila*, não ficava nada constrangida de ler um livro quando estava na minha mesa. Mesmo não tendo ligação direta com meu trabalho, ele poderia de alguma forma servir de inspiração.

Contudo, desde que vim para o departamento de documentação e pesquisa tenho receio de ler. Com certeza vão achar que estou fazendo corpo mole no trabalho.

Tão logo sentei na minha cadeira e olhei para a pilha de livros, ouvi alguém me chamar de longe:

– Sakitani.

Levantei a cabeça de imediato. Era Kizawa. Ela é uma mulher solteira, da mesma idade que eu, e foi admitida no editorial pouco antes de eu entrar em licença-maternidade. Como não tive muito contato com ela antes de ser transferida, não a conheço bem. Além de termos trabalhado pouco tempo juntas, ela é franca demais e difícil de lidar.

Enquanto eu estava de licença, Kizawa se tornou editora-adjunta da *Mila*. Na editora de revistas onde trabalhava antes, ela também era reconhecida por sua competência e contam que nosso presidente a teria pressionado a se demitir da outra empresa para vir trabalhar aqui. Ela ficou encarregada também dos contatos com Mizue Kanata, antes minha função, talvez outro motivo para eu querer manter distância dela.

Kizawa me entregou uma folha de papel.

– Gostaria que você encomendasse isto aqui para mim.

– Ah, entendido.

Recebi a requisição de Kizawa: um catálogo de bolsas de grife. Sem dúvida ela me chamou da porta, sem entrar no departamento, por achar que os outros funcionários, homens de meia-idade, não entenderiam seu pedido. Ou quem sabe ela apenas desejava se exibir de propósito?

– Você consegue ainda para esta semana? – perguntou ela com frieza.

Kizawa tinha olheiras. Vestia uma blusa larga e calça jeans e prendera as pontas dos cabelos desalinhados com um **prendedor**.

Pelo cronograma, o fechamento das provas da revista devia ser hoje. Aquele talvez fosse seu figurino confortável para fazer hora extra.

Senti uma pontada de dor lá no fundo. No passado, eu já estive na mesma situação que ela.

– Não deve ter problema – respondi.

Para disfarçar minha perturbação, perguntei com um sorriso e uma cordialidade forçados:

– O fechamento é hoje?

Kizawa alisou de leve os cabelos.

– É, isso mesmo.

– Invejo você. O trabalho editorial é gratificante, não?

Foi minha forma de estabelecer uma conversa amena. Porém, depois de desviar o olhar por um instante, Kizawa declarou, rindo com amargura:

– Mas parece que passo mais tempo na empresa do que em casa. Às vezes não consigo pegar o último trem e acabo tendo que voltar de táxi. Eu também queria poder sair no horário, nem que fosse uma única vez.

Eu me irritei. Como assim "eu também"?

– Bem, mas em casa não tem ninguém me esperando... É meio solitário!

Não respondi a essa demonstração de autopiedade de Kizawa e procurei lhe devolver um sorriso simpático.

Pela sua maneira de falar ela parecia ter inveja de mim. Esse pensamento me incomodou. Eu, sim, tinha inveja dela, a ponto de sentir náuseas, por ela estar extenuada de tanto trabalhar na revista.

Queria dizer a ela: "Se deseja tanto voltar mais cedo para casa, peça demissão. Você está ali porque quer, não é?"

Mas eu sabia que estava na mesma situação, pois havia escolhido ter uma filha e criá-la.

Fiz mal em desejar isso? Era querer demais da minha parte conciliar trabalho e família? Não tenho direito de estar insatisfeita?

Enquanto eu permanecia em silêncio, Kizawa quebrou o gelo:

– Ah, sim, eu ia me esquecendo. Depois de amanhã vamos ter um encontro com Mizue Kanata.

De repente eu me animei. Mizue Kanata?

– Como não tem relação direta com o meu trabalho, não sou obrigada a participar. O editor-chefe sugeriu que eu compareça, mas estou cheia de coisas para fazer. O que acha de ir no meu lugar?

– Claro! – respondi, com tanto entusiasmo que Kizawa se assustou.

– Então eu mando os detalhes por e-mail. Vou pedir ao editor-chefe para combinar com o seu gestor as providências adequadas.

Ela disse essas últimas palavras já virando de costas e começando a caminhar pelo corredor.

Não me importo com o que Kizawa pensa a meu respeito. Sou grata por ela ter falado comigo. Poderei reencontrar Mizue. E me sentirei fazendo um trabalho de editora, tão parecido com o que eu fazia antes...

* * *

No dia seguinte, aproveitei meu horário de almoço para ir a uma livraria comprar o novo livro de Mizue. Hoje era o lançamento. Essa devia ser a razão do encontro com o editorial da *Mila*.

O evento será realizado amanhã às onze horas em um hotel na região metropolitana de Tóquio.

Telefonei para Mizue, que propôs tomarmos um chá depois.

Eu estava alegre. Muito alegre.

Queria ler o livro quanto antes, e no trem de volta para casa passei os olhos nele, mas não avancei muito. Hoje preciso colocar Futabā para dormir cedo.

No caminho de volta da creche, minha filha não parava de cantarolar a canção que aprendeu. Parecia tê-la adorado e, mesmo depois de chegar em casa, ainda a cantava, dançando de seu jeito bem peculiar.

Depois do banho, eu a fiz se deitar em seu futon e me estiquei ao lado dela. Diminuí a luz do quarto e dei uns tapinhas ritmados em seu peito.

– Vamos dormir logo, o.k.?

Ela estava agitada. Fazia palhaçadas e cantava em voz alta.

– Feche os olhos! – mandei, elevando por fim o tom da voz.

– Não, eu vou cantar!

O efeito foi inverso. Sua excitação aumentou e ela se pôs de pé sobre o futon.

Quando Shuji vai chegar? Eu me sentiria mais aliviada se pelo menos soubesse o horário em que meu salvador apareceria. Mas ele não me mandou uma mensagem sequer.

Desisti, aumentei a luminosidade da lâmpada e, deitada de bruços ao lado de Futaba, abri o livro de Mizue.

Durante algum tempo ela continuou a cantoria, mas logo abriu seu livro, que estava ao lado do travesseiro. Devia estar me imitando. Tagarelava olhando as ilustrações. Talvez quisesse que eu lesse para ela, mas eu a ignorei e prossegui minha leitura. Não podia desperdiçar um minuto sequer.

O romance de Mizue era realmente interessante. Como teriam sido as reuniões com o editor do livro? Como teria sido o processo de escrita?

Ah, como eu queria ser editora de romances! Senti meu coração se agitar.

Depois disso, durante um tempo, li enquanto ouvia a voz de Futaba, mas acabei apagando. Não notei a chegada de Shuji e dormi sem terminar o romance.

✳ ✳ ✳

Pela manhã, Futaba acordou espirrando. Tinha coriza também.

Encostei a mão em sua testa. Não parecia ter febre. Coloquei o termômetro sob sua axila torcendo para que ela não estivesse doente.

– E aí, Futaba, está tudo bem? – perguntou Shuji com uma voz despreocupada.

Foi um erro meu dormir com o ar-condicionado ligado, mas me irritei com ele por não ter desligado.

O termômetro fez um bipe: 36,9ºC. Um pouco mais alto do que o normal, mas nada preocupante.

Por favor, não vá ficar doente. Não hoje.

– Então... – falei timidamente a Shuji.

– O quê?

– Acho que ela está bem. Mas se ela tiver febre e a creche pedir para irmos buscá-la, você poderia ir?

– Ah, hoje não vai dar. Preciso ir até Makuhari.

– Mas é que...

De nada adiantou ter perguntado. Terminei de arrumar as coisas e levei Futaba à creche.

Logo que entrei no trem, retomei de imediato a leitura do romance de Mizue. Precisava saber o final. Fiz uma leitura dinâmica e aos trancos e barrancos terminei o livro.

Não desejava ler às pressas dessa forma. Preferia sentar em um local calmo e mergulhar no imaginário do livro. Mas não me restou escolha.

Graças a Kizawa fui autorizada a me ausentar do departamento às dez horas. Passei no banheiro e, quando estava saindo da empresa, o celular tocou.

Senti um calafrio ao ver "Creche Tsukushi" na tela.

Droga! Futaba devia estar com febre.

E se eu fizesse de conta que não vi? Que não percebi a ligação?

Mas como mãe eu precisava atender. Dentro de mim meus dois "eus" duelavam.

Entrou a caixa-postal.

Esperei até a mensagem acabar de ser gravada, cliquei nela e colei o celular ao ouvido. Era a voz de Mayu, a professora.

"A Futaba está febril. Por favor, venha buscá-la."

E se eu fingisse não ter ouvido a mensagem?

A creche contataria a empresa e alguém do meu departamento talvez me ligasse, mas eu poderia não atender e depois alegaria ter esquecido o celular em casa.

Também poderia desistir do chá com Mizue e ligar para a creche assim que o encontro terminasse. Se corresse para buscá-la talvez chegasse às duas horas. Nesse caso, eu seria perdoada? Afinal, Futaba estava em uma creche de confiança.

Mesmo assim, não me saía da cabeça o rosto choroso da minha filha.

Ontem à noite, ela devia ter se descoberto enquanto dormia e se resfriou por causa do ar-condicionado. Talvez a febre tivesse aumentado e ela estivesse sofrendo. Foi responsabilidade minha não tê-la feito dormir cedo. E ter caído no sono. Lembrei também que eu a tinha ignorado quando ela abriu o livro e começou a falar sozinha. Eu me senti culpada por ser uma mãe tão relapsa.

Se não puder ir ao encontro, Kizawa e o editor-chefe da *Mila* vão me considerar uma total imprestável. Só que dessa vez a minha ausência não significaria nenhuma grande perda para o meu trabalho. Eu apenas queria ir.

Cerrei os olhos com pesar.

E, depois de respirar fundo, liguei de volta para a creche.

✳ ✳ ✳

Tão logo me viu chegar, Futaba veio correndo, agitada e sorridente.

Olha só. Ela está ótima. E me disseram que ela estava com 37,8ºC de febre!, pensei.

A professora Mayu apareceu. Com seus 20 e poucos anos, é novata no cargo.

– Achei a Futaba desanimada, mas aparentemente só estava meio sonolenta. A temperatura também baixou para 37,1ºC.

Ao mesmo tempo que eu estava aliviada, um sentimento insuportável me invadiu. Tinha sido desnecessário eu ter vindo buscá-la. Logo em um dia especial como o de hoje. Quando dei por mim, estava chorando.

– Pelo visto, a mamãe estava muito preocupada – disse Mayu, sorrindo.

– Por que é sempre com as mulheres? – murmurei me dirigindo a ela.

Falei com uma voz baixa, sem nem entender por quê. Mayu se espantou, sem entender o sentido das minhas palavras.

Não era apenas eu. As mães são maioria quando se trata de vir buscar os filhos. Isso ainda parece ser o mais natural. Por que os efeitos negativos do trabalho recaíam sempre nas costas da "pessoa que gerou a criança"?

– Quando a febre passa de 37,5ºC temos como regra contatar os responsáveis... Não queremos que a criança tenha convulsões... – explicou Mayu, cautelosa.

De repente voltei a mim. A forma como me expressei teria soado como uma censura a ela?

– Não, não é isso. Desculpe. Eu agradeço por ter ligado.

Peguei minha filha no colo e saí da creche.

* * *

De volta em casa, a temperatura de Futaba estava 36,5ºC. Após o jantar, ela estava de bom humor por ter comido iogurte de maçã, seu preferido, e brincava enfileirando seus bonecos de pelúcia sobre a mesa. Pretendendo colocá-la cedo para dormir, logo depois das oito eu a fiz vestir seu pijama.

– Hoje vamos dormir cedo.

– Não!

– Você não quer que a febre volte, quer? Vamos, guarde seu coelhinho.

– Não quero guardar.

Não, não, não – sempre não.

– A mamãe também não quer!

Suspirei, peguei Futaba e seu coelho no colo e os levei até o futon.

Nós três deitamos lado a lado. Ela começou a conversar animada com o coelho.

Como eu queria ter ido ao encontro com Mizue... E como queria ter ido tomar chá com ela e conversar sobre vários assuntos, algo raro para mim nos últimos tempos.

No caminho para a creche, eu tinha ligado para o editorial da *Mila* e avisado a Kizawa que não poderia comparecer ao encontro com Mizue.

– Sem problemas. Melhoras para sua filha – ela se limitou a dizer.

Pelo visto, ela não entendeu o que eu estava sentindo.

Eu também havia mandado uma mensagem para Mizue me desculpando.

"Acontece quando se tem filhos. Não se preocupe. Vamos nos ver outro dia", foi sua resposta imediata.

Quando se tem filhos, quando se tem filhos.

Mas eles precisam ter febre justo em um dia importante para a mãe? Mizue tinha dois filhos. Será que ela também teria passado por algo assim?

Como queria conversar com ela, pensei. Mas eu não sou mais editora. Não estou em uma posição de convidá-la despretensiosamente para tomar um chá.

Esse era um dos grandes atrativos do trabalho. Poder me encontrar com quem eu desejasse e poder conhecer o que acontecia no coração dessa pessoa.

Eu estava exausta. Quando trabalhava na *Mila*, vivia animada por mais ocupada que estivesse, por mais que corresse de um lado para o outro em encontros fora do escritório. Agora meu corpo e meu espírito estão duros e pesados como barro.

Enquanto refletia deitada, as lágrimas voltaram a escorrer.

E, quando dei por mim, adormeci junto com minha filha.

* * *

Acordei às onze e meia da noite.

Logo eu, que desejava colocá-la cedo para dormir para poder ter um tempo só para mim, estava decepcionada por ter caído de novo no sono. Pus a mão sobre a testa de Futaba, que dormia como um anjinho. Estava sem febre e até um pouco fria. Arrumei seus cabelos e me levantei.

Shuji ainda não tinha voltado. O quarto estava bagunçado e havia um monte de louça na pia. A roupa lavada que recolhi do varal à tardinha estava jogada sobre o sofá.

Suspirei e comecei a dobrá-la.

Ouvi o ruído da chave na porta. Era Shuji.

– Cheguei!

– Tarde, não?

– Ah, estava bastante ocupado.

Mesmo dizendo isso, ele não parecia cansado ao passar ao meu lado. Senti cheiro de álcool.

– Você bebeu?

– Quê? Ah, sim. Um pouco.

– Então não está com fome?

Shuji franziu o rosto ao ouvir minha voz irritada.

– Tomei só um copo! Tem horas que bate uma vontade.

– Claro... Tem, sim. Só eu não posso ter essa vontade.

Uma vez tendo começado, não pude mais me conter. As palavras jorravam da minha boca num turbilhão.

– Eu é que levo a Futaba na creche. Eu é que vou buscá-la. Eu é que preparo o jantar sem saber se você vai comer ou não. Hoje eu tinha um compromisso, mas a creche me chamou por uma coisa insignificante! Luto contra o relógio, estou sempre atarefada, deixo para depois tudo que se relaciona a mim, tem um monte de coisas que quero fazer e não consigo!

– E por acaso você acha que eu me divirto?

– Mas está saindo para beber sem nem sequer me avisar!

Num gesto irrefletido, atirei no chão a toalha que eu tinha acabado de dobrar. Poderia ter jogado uma caneca, mas depois eu teria que recolher os cacos. Mesmo o sangue me subindo à cabeça, eu conseguia fazer esses cálculos instantâneos.

– Ela é nossa filha, não é? Quando eu estava grávida, você não disse que me ajudaria? Então pegue a menina na creche e participe das tarefas domésticas.

– E a minha carreira? Não posso largar reuniões e viagens para ir buscá-la na creche ou voltar cedo para casa para preparar a janta! Natsumi, na situação atual é você que tem mais liberdade, pois tem um trabalho mais flexível e pode sair às cinco.

Eu me calei. Fiquei desapontada. Eu sabia que seria ruim caso Shuji se prejudicasse na empresa.

Mas era injusto. Eu havia abandonado minha carreira. Por que apenas ele podia se concentrar livremente no trabalho?

Por que eu era obrigada a assumir todas as tarefas domésticas, no final das contas?

Por ser mãe?

– Por que só eu perco o tempo todo?

Ao ouvir minha voz chorosa, Shuji fechou a cara e estava prestes a responder quando arregalou os olhos.

Futaba estava de pé na porta da sala de estar. Tinha acordado com nossa discussão.

– Eu vou arrumar, mamãe – declarou ela num tom de voz sério.

Futaba começou a levar os bichinhos de pelúcia até a caixa de brinquedos. Meu coração apertou ao vê-la segurando as lágrimas.

Mesmo sem entender o teor da nossa conversa, ela devia ter achado que brigávamos por causa dela. E que, se ela se comportasse, talvez voltássemos a ficar bem.

Num impulso, eu a abracei por trás. Desculpe, desculpe, minha filha.

Eu não perdia o tempo todo.

Ela era minha menina querida. Era a filha que eu desejara. Como eu poderia achar que ela era a culpada por minha vida ter virado do avesso?

* * *

No dia seguinte, pouco antes do meio-dia, recebi um telefonema da recepção. Era Mizue.

Ao descer ao saguão, ali estava ela sorridente em seu quimono.

Logo entendi. Para que eu pudesse sair da minha sala sem ter problemas, ela discou para o ramal interno em vez de ligar para o meu celular.

Como eu queria revê-la! Tendo-a agora diante de mim, meu corpo de súbito relaxou e eu comecei a chorar.

Ela não se surpreendeu. Colocou de leve a mão sobre meu ombro e sussurrou:

– A que horas é sua pausa para o almoço? Se quiser, podemos almoçar juntas.

Ela sorriu e me indicou um bistrô tranquilo próximo à editora. Ela faria a reserva e me esperaria.

* * *

Mizue viera à Banyusha para uma reunião com Kizawa.

O plátano rosa seria adaptado para o cinema. Eu sentia um gosto amargo por Kizawa se encarregar do projeto, quando o romance fora escrito numa parceria entre mim e Mizue.

– Sabe, aquela serialização do romance foi muito penosa para mim – confessou Mizue enquanto enfiava a colher em seu omurice.

– Ah, é?

– Com certeza. Eu estava tensa por ter que me dirigir a leitoras jovens sensíveis e emotivas! Fiquei preocupada de não conseguir escrever coisas relevantes para elas e de caçoarem de mim por meu jeito antiquado.

Ela comeu um pedaço do omurice e continuou com ar alegre:

– Por outro lado, foi também muitíssimo divertido. Não imaginava que tinha tanto para transmitir às jovens leitoras. Todo o tempo as duas protagonistas dialogavam dentro de mim! Estávamos sempre juntas. Tanto as personagens quanto as leitoras eram como filhas queridas. Revivi a época já distante em que criava meus filhos.

Eu estava atônita. Mizue sorria de olhos contraídos.

– E tudo isso graças a você! Você estava junto no nascimento e na criação da história. Você foi para mim e para aquele romance parteira, enfermeira, pai e mãe.

As minhas lágrimas transbordavam sem parar.

– Achei que não poderia mais encontrar você. Afinal, eu não... – falei, cobrindo o rosto com as mãos.

Eu não era mais editora.

Diante de Mizue eu sentia como se as emoções represadas dentro de mim começassem a vazar.

– Eu me detesto por invejar a Kizawa, que trabalha duro na *Mila*, e por pensar que minha vida virou de ponta-cabeça após o nascimento da minha filha.

Mizue pousou a colher.

– Ah, você também está num carrossel – disse ela com serenidade.

– Carrossel?

Um sorriso desabrochou nos seus lábios.

– É uma coisa bastante comum! Quem é solteiro inveja as pessoas casadas, quem é casado inveja quem tem filhos, e quem tem filhos inveja quem é solteiro. Um carrossel que não cessa de girar. É interessante que cada um inveje apenas quem está na sua frente. Em outras palavras, na felicidade não existe superioridade, inferioridade ou completude!

Ela bebeu um gole de água e continuou, entusiasmada:

– A vida é sempre uma grande aventura! Não importa em que situação você esteja, as coisas não caminham como previsto! Mas, por outro lado, também nos esperam surpresas alegres. Muitas vezes acontece de pensarmos "Que bom que as coisas não saíram como eu esperava. Foi melhor assim". Precisamos parar de achar que é má sorte ou fracasso quando nossos planos ou nossas previsões dão errado. Mudando nossa perspectiva, transformamos a nós mesmos e a nossa vida!

Mizue sorriu e voltou a comer.

✳ ✳ ✳

No momento de pagar, estendi o braço com ímpeto para pegar a conta da mão de Mizue.

Não poderia lançar o gasto como despesa de trabalho. Porém, logicamente eu podia pagar.

– Hoje é por minha conta – disse Mizue, balançando alto a comanda.

– Mas…

– É um presente. Seu aniversário é por esses dias, não é? O "natsu" no seu nome, Natsumi, indica que você nasceu no verão.

Talvez eu tivesse comentado em algum momento. E ela se lembrava do meu aniversário.

– Muito obrigada pelo almoço.

Quando inclinei de leve o corpo em agradecimento, Mizue abaixou um pouco a cabeça com um riso maroto.

– Quantos anos vai fazer?

– Quarenta.

– Que maravilha. Você finalmente vai conseguir fazer muitas coisas de verdade! O parque de diversões é amplo!

Mizue apertou forte a minha mão.

– Parabéns pelo seu aniversário. Obrigada por ter se encontrado comigo.

Senti uma paz preencher gentilmente todo o meu corpo.

A *Mila* não me proporcionara apenas uma carreira, mas essa alegria também.

Senti no fundo do meu coração que valera a pena o esforço de ter nascido.

※ ※ ※

Nessa noite, Futaba dormiu rápido, algo incomum.

Como Shuji ainda não havia retornado, guardei seu jantar e sentei no sofá da sala de estar para ler *A porta da lua*.

Logo cheguei a um capítulo que me chamou a atenção: "Os dois olhos da alma".

Segundo o texto, o coração tem dois olhos para perceber o que não é visível.

Um deles é o "olho do sol", para observar o mundo de maneira racional e lógica. Para direcionar uma luz vívida sobre as coisas e compreendê-las.

O outro é o "olho da lua", que percebe o mundo por meio das emoções, da intuição, da imaginação e dos sonhos.

Era um texto encantador. Havia tempos minha mente não se

abria tanto ao ler um livro. Aprendi sobre a relação entre o sol e a lua na mitologia, a forma de entender adivinhação e magia, a descrição das emoções ocultas nos seres humanos... Envolvida pelo azul profundo que estampava o livro, eu estava absorta na leitura.

Vivemos rodeados de acontecimentos, pequenos e grandes, que apesar de nosso esforço não saem como previsto.

Eu me espantei ao ler as palavras "como previsto". Era a mesma expressão que Mizue tinha usado hoje. Na sequência, estava escrito algo sobre "transformação". Era estranho, mas o livro por vezes se cruzava com a realidade.

Komachi é incrível. Por que teria ela me recomendado esse livro?

Isso me fez lembrar de uma coisa. Peguei minha bolsa e senti lá dentro o toque macio da lã. O meu brinde continuava ali.

Coloquei sobre a palma da mão o pequeno objeto feito de feltro de lã.

Nesse "globo terrestre" do tamanho de uma bola de pingue-pongue, os continentes tinham contornos grosseiros, mas o Japão estava representado com precisão. Seria um sinal de seu amor pelo país?

Ou seria uma forma de dizer "É aqui que eu estou"?

Agora é noite. Girando o globo, chega a manhã...

Girando-o com os dedos, fiquei pensando. Os antigos acreditavam que a Terra se mantinha imóvel e os astros se movimentavam ao seu redor. Na realidade, era a Terra que girava.

Nesse momento, me deu um estalo.

É isso.

Eu "fora transferida" da *Mila* para o departamento de documentação e pesquisa. Eu "fora obrigada" a fazer as tarefas domésticas e a criar minha filha. Talvez por me considerar o centro de tudo eu me visse como vítima. Pensava no porquê de as pessoas não agirem de forma a simplificar minha vida.

Olhei fixo para o globo azul. A Terra se movimenta. As manhãs e as noites não permanecem, elas se vão.

O que quero fazer agora? Aonde desejo ir?

Eu percebia alguma coisa mudando dentro de mim. Conversar com Mizue servira para colocar ordem nos meus sentimentos.

Quero editar romances.

Quero trabalhar junto com os escritores para oferecer aos leitores histórias no melhor formato possível.

"O parque de diversões é amplo!" As palavras de Mizue ecoaram em minha mente.

Significava que eu devia descer do carrossel e experimentar outras atrações? Permanecer montada em um dos cavalos não é nenhuma virtude; não seria mais sincero comigo mesma correr atrás do meu sonho?

Peguei o celular e comecei a pesquisar vagas em editoras. Até então eu me concentrara em editoras de revistas, porque eu nunca tinha pensado que houvesse outra opção.

Na situação em que estava agora, a edição de revistas era difícil pois prioriza a velocidade e o trabalho em equipe. Contudo, no caso de livros, talvez eu tivesse mais liberdade. Se fizesse essa pequena mudança de direção, talvez eu conseguisse trilhar um novo caminho.

Enquanto procurava, acabei achando uma editora tradicional chamada Otosha. Com foco em literatura em geral, ela havia publicado também alguns romances de Mizue.

E, por coincidência, eles estavam justamente contratando pessoas com experiência. O prazo para o envio do currículo terminava no dia seguinte, com o carimbo de despacho pelos correios servindo de comprovação. Em cima da hora, mas a tempo.

Contendo minha euforia, li com atenção as condições para a candidatura. Senti que tudo começava a girar positivamente com a ajuda de uma grande força desconhecida.

※ ※ ※

No sábado seguinte fui sozinha até a biblioteca do Centro Comunitário. Era o dia de devolver os livros. Deixei Futaba em casa aos cuidados de Shuji.

Entreguei os livros a Nozomi e olhei para a seção de consultas. Percebendo, Nozomi disse:

– Se for para falar com a Himeno, ela está no intervalo e volta logo.

– Himeno?

– Ah! – exclamou Nozomi, dando uma risadinha. – A Komachi foi minha professora quando eu estava na escola primária. Ela também era enfermeira e trabalhava com alunos com necessidades especiais. Depois de casar seu sobrenome mudou, mas eu ainda acabo chamando-a pelo nome de solteira da época.

Então Komachi havia sido professora e enfermeira! Senti como se estivesse assistindo a uma novela.

Ela retornou naquele momento. Balançando com lentidão seu corpanzil, olhou de relance para mim, mas passou direto, impassível.

Esperei que ela se acomodasse no balcão antes de me aproximar.

– Obrigada por sua recomendação no outro dia. *A porta da lua* é incrível.

– Hum – murmurou ela.

– Mas, como eu li às pressas, decidi comprá-lo. Quero ter uma cópia para mim.

Ouvindo minhas palavras, ela se inclinou um pouco para trás.

– Fico feliz por ter servido de ponte não apenas para você ler o livro, mas para querer ter um exemplar dele com você.

– Sim, graças a ele senti vontade de me transformar.

Ela sorriu.

– Acontece com todos os livros. Mais valioso do que o poder que existe neles, é o jeito como você os lê.

Feliz por ouvir aquilo, resolvi puxar assunto.

– Você foi enfermeira, não foi? Isso significa que mudou de ocupação.

– Fui. De início eu era bibliotecária. Depois retomei os estudos e me formei em enfermagem e educação inclusiva, para depois voltar a ser bibliotecária.

– O que a levou a essas mudanças profissionais?

– As coisas aconteciam quando eu pensava no que mais desejava fazer na época e na melhor forma de fazê-lo, me adaptando às circunstâncias. A situação muda a todo instante e foge à nossa vontade. Relações familiares, condição de saúde, falência do local de trabalho, uma paixão repentina.

– Paixão? – repeti sem refletir, admirada por ouvir essa palavra da boca dela.

Komachi tocou com delicadeza o enfeite de flores na cabeça.

– Foi o acontecimento mais inesperado de toda a minha vida. Nunca poderia imaginar que apareceria alguém com tanto para me oferecer.

Ela devia se referir ao marido. Adoraria ouvir essa sua história maravilhosa, mas seria muito indiscreto perguntar.

– Foi bom ter mudado de ocupação? Não se sentiu insegura?

– Por vezes decidimos permanecer nós mesmos, mas acabamos mudando, outras vezes queremos mudar, mas continuamos sendo nós mesmos! – respondeu ela, aproximando para si a caixa de Honey Dome que estava na extremidade do balcão. Vendo-a retirar de dentro da caixa uma agulha, eu logo entendi. A conversa havia terminado. E, como era de esperar, ela começou a movimentar a agulha, impassível.

※ ※ ※

Ao voltar para casa, pedi a Shuji para irmos os três ao Éden, um centro comercial onde se encontra de tudo, desde alimentos a artigos de uso cotidiano. Queria comprar arroz e água mineral, além de roupas de baixo e camisetas para Futaba.

– Posso dar uma passada na Zaz? – perguntei.

Shuji decidiu me esperar com Futaba no espaço de brinquedos. É realmente um alívio quando ele está presente no fim de semana.

A Zaz é uma cadeia de óticas. Não preciso de óculos no dia a dia, mas dependendo da situação uso lentes de contato descartáveis. O estoque que comprei seis meses atrás já está chegando ao fim.

– Com licença – disse ao entrar na loja.

O atendente se virou na minha direção e arregalei os olhos ao vê-lo.

– Kiriyama!

Ele também se admirou e exclamou:

– Mas se não é a senhora Sakitani! A senhora mora nas redondezas?

Quando eu estava na *Mila*, por vezes solicitava trabalhos à produtora editorial em que Kiriyama trabalhava.

– Que surpresa! Nunca imaginei que nos encontraríamos num lugar como este.

– Pedi demissão da produtora e trabalho aqui desde o mês passado.

Ele, cuja magreza me inquietava na época, estava mais forte e mais corado. Fiquei aliviada vendo seu semblante sorridente e saudável.

Para ser sincera, sempre achei a produtora em que ele trabalhava muito leviana. Eles exigiam que o funcionário tirasse em um único dia o equivalente a dez páginas de fotos de rua ou reunisse informações de trinta restaurantes. Como a produtora aceitava qualquer tipo de trabalho, nós acabávamos pedindo sem cerimônias, mas imagino que trabalhar nela devesse ser uma luta constante.

– A senhora parece estar bem. Sua filha nasceu, não?

– Nasceu... Para falar a verdade, também estou procurando emprego agora.

Por encontrar alguém em situação semelhante à minha, acabei me abrindo.

– Daqui para a frente pretendo trabalhar com edição de livros e não de revistas. Eu me candidatei a trabalhar no departamento editorial da Otosha e estou esperando a análise do meu currículo. Devo receber uma resposta em breve.

– Ah, tem razão. A senhora lançou um livro da Mizue Kanata que fez bastante sucesso. *O plátano rosa* é interessante até para homens como eu!

Suas palavras fizeram brotar em mim uma repentina coragem. Fiquei pensando nisso enquanto ele se afastava para pegar as lentes que eu fora comprar. Pouco depois ele voltou, com uma expressão de decepção no rosto.

– Desculpe, mas a senhora tem pressa nas lentes de contato? Os produtos desse fabricante estão em falta na loja. Vou encomendar de imediato e aviso assim que chegarem.

Era o tom solícito de um bom vendedor. Para quem começou a trabalhar um mês antes, estava bem à vontade no atendimento aos clientes. Era um trabalho perfeito para ele.

– Torço pela sua aprovação na Otosha. É formidável ter uma meta definida – disse ele enquanto eu saía da loja.

– Obrigada.

Eu o achava um ótimo rapaz quando ele trabalhava na produtora, mas na ótica me pareceu ainda mais simpático e atraente.

Tudo muda. Nós, os outros. E não há nada de errado nisso.

Meu coração já estava na Otosha. Nela eu vou editar ótimos livros daqui em diante...

* * *

Todavia, o que chegou às minhas mãos foi uma mensagem de recusa.

Fiquei consternada. Pensei que seria aprovada pelo menos na análise da documentação. Jamais imaginaria ser eliminada já nessa etapa, sem sequer me chamarem para uma entrevista.

Estava convicta de que eu teria alguma vantagem por eles já terem publicado livros de Mizue.

No final das contas, fui rejeitada.

Na minha idade, com uma filha pequena e apenas um livro com boas vendas como experiência no campo literário, era natural que eu não tivesse chance. Candidatos em busca de uma mudança de direção na carreira precisavam ter alguma vantagem competitiva. Eu não tinha. Há muitos profissionais excelentes com um currículo melhor do que o meu se candidatando a uma vaga em uma editora de grande porte como a Otosha.

Se ao menos eu tivesse pensado nisso com um pouco mais de calma.

Enquanto eu sofria por ter sido golpeada pela realidade, Kizawa foi promovida a editora-chefe da *Mila*. Era como se eu recebesse uma punhalada pelas costas.

O anúncio foi feito na reunião matinal da Banyusha. Ela contou diante de todos com seu costumeiro tom áspero e o queixo empinado.

Contudo, acabei percebendo algo. Durante a salva de palmas, por um instante eu vi nela um sorriso furtivo e encabulado como o de uma menina. Seus olhos brilhavam, úmidos.

Essa visão fez a inveja que me atormentava sumir por completo. Kizawa, com seu esforço e sua dedicação, fizera por merecer. Ela não esperava essa promoção e estava radiante de alegria.

Ela devia ter passado por muitas dificuldades e frustrações. Ao me dar conta disso, me arrependi de ter dito que a invejava.

O carrossel parou.

Eu sou outra pessoa agora, em um caminho diferente.

Cada uma de nós veria a própria paisagem. Eu, a minha; ela, a dela.

Percebendo que eu aplaudia com entusiasmo, Kizawa curvou de leve os lábios em um sorriso.

* * *

Dois dias depois, era meu aniversário.

Shuji deu um jeito de voltar mais cedo nesse dia. Jantamos os três em um restaurante.

Ele se espantou quando contei que havia tentado entrar na Otosha e fora recusada. E também por eu querer largar a Banyusha, onde eu trabalhava havia tanto tempo. Parecia chocado com a grande dificuldade para se mudar de emprego. Fiquei atônita ao me dar conta de que Shuji até então não havia compreendido meus sentimentos e minha situação; mas talvez fosse culpa minha não ter conseguido lhe transmitir isso da forma clara. Eu só sabia reclamar e resmungar. Por outro lado, fiquei feliz com suas palavras inesperadas de consolo e incentivo.

Conforme conversávamos, decidimos que a partir da próxima semana ele ficaria encarregado de levar Futaba à creche de manhã. Seria difícil para ele ir buscá-la à tardinha, mas de qualquer forma prometeu tentar. Ele também ouviu com atenção, tomando notas, quando disse a ele como trocar os lençóis nas segundas-feiras.

– Quando você reclama ou diz apenas "me ajuda", eu não sei bem o que fazer. Mas se você me der tarefas claras e específicas como essas, vou conseguir entender.

Percebi que eu deveria usar mais o "olho do sol", a razão, para equilibrar o "olho da lua", a emoção. Assim as coisas voltariam a funcionar.

Eu me sinto feliz. Apesar de reclamar de um monte de coisas, sei que Shuji, a seu modo, pensa em nossa família.

Entre nós dois havia Futaba, cujo semblante se abrilhantava a cada dia.

– Parabéns!

Ela me felicitava num tom vacilante e adorável.

Havíamos formado essa família dia após dia. Juntos, os três.

Agora, vamos viver esse momento precioso. "Adaptar-se às circunstâncias." Tomando emprestadas as palavras de Komachi, ter sido recusada pela Otosha e obrigada a me afastar do trabalho editorial na *Mila* talvez representasse a minha "circunstância".

Senti o peito apertar ao pensar assim. Disfarcei a sensação tomando de um só gole o restante do chá servido após a refeição.

Depois de pegar mais um chá de ervas no balcão de bebidas gratuitas e me sentar de volta, meu celular vibrou sobre a mesa. Era um número desconhecido.

Troquei um olhar com Shuji, me levantei e saí do restaurante para atender.

– Aqui é o Kiriyama, da Zaz.

– Oi!

A voz familiar me fez suspirar de alívio. A brisa da noite de verão estava agradável.

– As lentes chegaram. Desculpe pela demora.

– Que bom! Vou buscar, obrigada.

– Mas não é por isso que estou ligando.
– Não?

Estava ruidoso do outro lado da linha. Ele não parecia estar ligando da loja. Até porque o número era de um celular.

– A senhora recebeu resposta da Otosha? – perguntou ele depois de uma pausa.

– Não deu certo.
– É mesmo? Que ótimo.
– Ótimo? – repeti sem refletir.
– Ah, não é isso, desculpe. – Ele soltou um riso forçado. – É que uma veterana minha da época da faculdade trabalha no departamento editorial da Maple.

Maple. É uma editora famosa por livros ilustrados e infantis. Publicou, entre outros, *Gelob de pés descalços*.

– O marido dela foi designado para trabalhar no exterior e mês que vem ela vai se desligar da editora. Pretendem chamar alguém com experiência para substituí-la. Mas, antes disso, ela me perguntou se eu não conhecia ninguém, e me lembrei da senhora.

Meu coração estremeceu. A voz de Kiriyama fluía do celular que eu segurava com firmeza sem conseguir responder.

– Acho a Maple perfeita para a senhora. Uma editora grande, especializada em literatura geral como a Otosha, também é ótima, lógico, mas a Maple é transparente, flexível e está sempre lançando novos projetos. Se quiser, posso falar com minha amiga para arranjar uma reunião com a editora-chefe.

– Mas eu tenho 40 anos e uma filha de 2...

– Hum. Vou dizer isso a ela. O fato de ter uma filha pequena pode ser bastante positivo, porque lá eles lançam muitos livros infantis. Na realidade, minha amiga também é mãe.

Meu coração não parava de palpitar. Por outro lado, só me vinham à mente as minhas limitações.

– Mas não tenho muita experiência...

– A Maple publica livros infantis, mas também publica muitos bons romances para adultos.

Sendo assim... Bem, então eu poderia editar livros de literatura geral.

– Quando a senhora estava na *Mila*, elaborou muitos projetos que falavam ao coração feminino. As matérias incentivando as leitoras a se esforçar a cada novo dia eram ótimas. Por isso, acredito que *O plátano rosa* fez tanto sucesso justamente porque a senhora se encarregou do projeto. Fiquei feliz ao ouvi-la dizer que queria começar a trabalhar com edição de livros.

Eu me senti salva ao ouvir essas palavras. Alguém me enxergava e reconhecia quem eu era.

– Kiriyama, por que está fazendo tudo isso por mim? – perguntei sem dissimular minha alegria.

Eu apenas me questionava o motivo. Eu não era amiga dele, ele não tinha nenhuma dívida para comigo e, no passado, só havíamos tido uma breve relação profissional.

– Por quê? Por coincidência passei pelas mesmas circunstâncias. E não seria ótimo termos mais livros interessantes? Eu também quero lê-los – respondeu ele, sem titubear.

Eu baixei o olhar. Meus pés tremiam dentro das sandálias.

* * *

Ele prometeu voltar a falar comigo. Desliguei o telefone, voltei trêmula para a mesa e bebi de um gole o chá de ervas.

– O que houve? – perguntou Shuji.

Expliquei a ele o que tinha acabado de acontecer.

– Mas é maravilhoso! – exclamou.

Ele entendeu.

Mas eu estava com um pé atrás. Tinha medo de me decepcionar outra vez. Logo agora que eu me recuperara do baque, se gerasse muitas expectativas e fracassasse de novo, a dor seria mais forte.

– Não é bom demais para ser verdade? – comentei, insegura. – Nunca poderia imaginar que ele ia me propor uma coisa assim.

Shuji me olhava com o semblante sério.

– Pelo contrário! Isso não aconteceu do nada. Aconteceu porque você começou a fazer algo por si mesma. E então as coisas começaram a mudar.

Levantei o rosto e vi um sorriso no rosto dele.

– Você fez por merecer.

Ah, realmente.

A Otosha não me aprovou. Porém, se eu não tivesse me candidatado, não teria informado a Kiriyama meu desejo de trabalhar com edição literária. Minha ação acabou resultando numa consequência inesperada. Foi uma alegre surpresa.

Shuji colocou a mão na cabeça de Futaba, que acabara de tomar seu sorvete.

– Vamos voltar para casa, você e o papai.

– Como? – perguntei, espantada.

– Você não quer ir à livraria, Natsumi? Aquela na estação ainda está aberta!

Futaba olhou confusa para nós dois.

– Tudo bem, né, filha? Você quer que a mamãe fique triste por não conseguir o que deseja?

Futaba respondeu baixinho:

– Não.

* * *

Depois de me separar dos dois, fui até a livraria Meishin, situada dentro da estação de trem. Procurei por livros publicados pela

Maple. Livros ilustrados. Contos infantis. E, como dissera Kiriyama, havia muitos best-sellers de literatura geral.

Havia alguns romances que eu adorava sem nunca ter me dado conta de que eram publicados pela Maple.

Esquadrinhei absorta as prateleiras, e escolhi alguns títulos que ainda não havia lido e me pareceram interessantes. Decidi comprar também *Gelob de pés descalços*. E por último procurei *A porta da lua*, que também era publicado pela Maple.

Porém, não encontrei o livro azul.

Em vez dele, achei uma nova edição, que trazia a ilustração elegante de uma lua cheia preenchendo toda a capa numa gradação vertical de cores do azul-escuro ao amarelo. A guarda não era de um preto lustroso como a noite, mas toda ela em um amarelo-canário bastante vívido. Ao folheá-lo, o texto parecia ser o mesmo.

Uma reedição. Era a prova de quanto o livro era desejado e apreciado.

Senti um calor dentro de mim. Assim os livros renasciam. Que tipo de pessoa os compraria? O que extrairia deles?

Ah, eu quero editar livros.

Quero ajudar a criar livros que façam o futuro ser um pouco melhor, que nos confrontem com emoções desconhecidas. Esse era o mesmo sentimento que eu acalentava na época em que trabalhava na *Mila*, mesmo sendo uma revista.

A capa de *A porta da lua*, originalmente com a lua parecendo flutuar no céu noturno, teve seu design renovado. O texto fora conservado, mas agora parecia banhado pela luz da lua.

No alto à direita nas páginas pares, havia desenhada a lua em suas várias fases. O satélite que antes ficava na parte inferior fora transferido para a parte de cima. Apesar de ser a mesma marca, a mudança passava a impressão de que algo era anunciado do céu.

Eu também mudava. Mesmo continuando a mesma.

✳ ✳ ✳

Todos os pais desejosos que os filhos acreditem no Papai Noel têm no coração um verdadeiro Papai Noel. Por isso, a maioria das crianças sente que o bom velhinho pilotando seu trenó existe de verdade.

Eu continuava a ler o livro sob os raios do sol invernal quando meu telefone tocou. Atendi, cheia de orgulho:

– Alô. Departamento editorial da Maple.

Logo após nossa conversa, Kiriyama tinha conseguido marcar uma reunião com a editora-chefe, que me fizera duas perguntas: de que forma eu havia ajudado na obra de Mizue Kanata e como eu desejava editar livros daqui para a frente. Ela se mostrara bastante atenta às minhas respostas efusivas, e acabou me dando o emprego que eu tanto desejava.

Hoje, trabalhando na Maple, vejo que o que brotara em mim a partir da *Mila* e meus novos pensamentos após ser transferida de departamento ajudaram a criar o meu novo eu. Tudo o que fora necessário até eu chegar aqui devo à Banyusha.

Comecei a ver sentido em todas as experiências que vivenciei até o momento, que a gratidão à Banyusha e a autoafirmação do meu esforço pessoal serviram para formar quem sou hoje.

Pedi à pessoa ao telefone que aguardasse e transferi a ligação para Imao, outra editora que trabalhava comigo.

Enquanto Imao falava ao telefone, observei Miho, sua filha pequena, folhear com alegria um livro ilustrado. Suas aulas haviam sido suspensas por causa de uma epidemia de gripe, e agora ela passava as tardes na editora com a mãe.

Kishikawa, a editora-chefe do departamento de livros infantis, apareceu na sala. Ao perceber a presença de Miho, ela se curvou e perguntou docemente:

– O que está achando do livro?

Era o segundo volume de uma série de livros ilustrados publicados pela Maple. Uma história de anões que se enfiam em vários buracos.

– Hum, é legal. Gosto da mancha marrom nas costas do cachorro. Parece um hambúrguer – respondeu a menina, entusiasmada.

– Olha só! Um hambúrguer. Eu não tinha visto dessa forma.

Uma funcionária passou por perto e sorriu ao ver Miho.

As crianças são leitoras estimadas e valiosas. Trazer os filhos para a empresa é algo bem-vindo. Quando uma funcionária em licença-maternidade traz o seu bebê, todos se reúnem e fazem a maior festa. No começo, foi um choque para mim.

Kishikawa veio até mim e me entregou uma folha com duas ilustrações coloridas.

– Poderia perguntar à Futaba qual desses desenhos ela prefere?

Eram esboços para o novo projeto de um livro ilustrado voltado para bebês.

– Claro, com prazer.

– Obrigada por mais essa ajuda.

Ter uma filha, que até então eu acreditava ser um empecilho ao trabalho, era bem aceito aqui. Eu me sentia tranquila e forte por estar sendo útil.

O que você acha insuficiente ou excessivo pode se tornar o oposto quando o ambiente muda. Na Terra, a percepção sobre algo muda e pode ser oposta dependendo do país ou da estação do ano em que você está.

Ainda refletindo sobre isso, retornei à minha leitura.

O Papai Noel que os pais apresentam aos filhos não é uma mentira, mas parte de uma verdade maior. Da mesma forma, os olhos do sol e da lua em nosso coração cooperam, criando, juntos, a nossa percepção do mundo.

Li essa página da nova edição de *A porta da lua* tantas vezes a ponto de decorá-la.

Sublinhei essas linhas para, de tanto repeti-las, gravá-las em meu coração.

Eu me dei conta de algo ao começar a trabalhar na Maple.

Quando escrevemos ou lemos um livro, utilizamos o "olho da lua".

E quando o editamos, lhe damos forma para apresentá-lo ao mundo, é o "olho do sol" que utilizamos.

Ambos os olhos são necessários. É preciso abri-los bem. Eles cooperam mutuamente sem negar um ao outro.

※ ※ ※

Fechei o livro e o coloquei com cuidado no suporte sobre minha mesa.

Peguei um outro, bem fino. Era uma novela que descobri no mês passado.

Fiquei alegre por tê-la encontrado. Quero muito trabalhar com esse autor. Para conseguir o e-mail dele, utilizei toda a minha rede de informações e contatos.

De frente para o computador, prendi a respiração.

"Gostaria de abrir uma nova porta para você." Foi me sentindo assim que escrevi a mensagem.

※ ※ ※

A Terra gira.

Iluminados pelo sol, observamos a lua.

Com os pés fincados no chão e os olhos levantados ao céu, seguimos em frente, mudando as coisas à medida que mudamos a nós mesmos.

Hiroya, 30 anos, desempregado

Na escola primária, eu tinha um grupo de amigos que estava ao meu lado em todos os momentos e que me ensinou um montão de coisas.

Às vezes eles não eram seres humanos e não estavam na Terra, mas podiam vir de qualquer lugar: da pré-história, de um futuro distante ou de outra dimensão.

Para mim, aqueles amigos eram muito mais reais do que meus colegas da escola. Estavam sempre por perto, eram interessantes, gentis e agradáveis. Eram dotados de estranhos poderes, lutavam com coragem contra as forças do mal, declaravam-se à garota mais bonita da escola e sempre me enchiam de entusiasmo quando nos encontrávamos.

Por que então o tempo parecia passar só para mim? Quando completei 30 anos, ultrapassei até aqueles que eram mais velhos do que eu. E não me tornei ninguém.

* * *

É uma tarde de sexta-feira e eu estou no sofá vendo tevê. Minha mãe chega em casa, jogando a sacola com legumes em cima da mesa. Tirou lá de dentro batatas, cenouras, maçãs.

– Havia nabos enormes! – ela exclamou. – Eu bem que queria comprar um, mas desisti. Eram pesados demais, eu não aguentaria carregar.

Apareceu uma couve-chinesa.

– Acho que vou voltar. Mas fico com vergonha de eles me verem lá outra vez. E tenho que ir trabalhar.

Ela parecia conversar consigo mesma, mas entendi que, no fundo, se dirigia a mim.

Há um centro comunitário nas redondezas, um prédio anexo à escola primária. Nunca o visitei, apesar de termos mudado para este apartamento quando eu estava no ensino médio.

Há aulas e cursos, e minha mãe algumas vezes participa das turmas de arranjo floral.

Hoje, como acontece a cada três meses, é dia da "Feira do Centro Comunitário Hatori", um encontro em que produtores locais vendem legumes, verduras e frutas diretamente para a comunidade.

– Hiroya, você não poderia ir lá para mim?

– Ahã.

Com o controle remoto, desliguei a tevê. Eu não tinha mesmo nada para fazer. E nem estava prestando atenção nos programas.

– Que ótimo, obrigada.

Eu me sinto culpado por estar desempregado aos 30 anos e ocioso dentro de casa. Não me custa nada ajudar a mamãe e ir comprar o nabo.

Quando me levantei, ela me ofereceu a sacola dobrada.

– Nabo, inhame. Ah, banana também!

A lista de pedidos aumentou.

Enfiei a sacola florida e a carteira no bolso da jaqueta e me dirigi para a porta.

✳ ✳ ✳

Ao chegar, o portão da escola estava trancado. Devia haver outra entrada para o Centro Comunitário. Segui a indicação de uma placa e dei uma volta até chegar a um prédio branco.

Empurrei a porta de vidro e entrei. A recepção ficava logo ali. No fundo havia um escritório e um senhor com uma magnífica cabeleira branca estava virado para uma mesa.

Ao me ver entrar esse senhor veio até o balcão e me pediu para escrever em uma folha meu nome, o objetivo da visita e o horário de entrada. Essa folha onde se via escrito "Lista de entrada" estava presa a uma prancheta sobre o estreito balcão. Antes do meu nome havia o de várias outras pessoas, inclusive o da minha mãe, a maioria para a "feira", e eu apenas os imitei escrevendo meu nome: Hiroya Suda.

O saguão não era muito amplo, e verduras, frutas e pães estavam à venda sobre as mesas. Os clientes estavam dispersos. Peguei os itens que minha mãe me pedira.

A um canto, duas senhoras batiam papo. Uma delas vestia um suéter de uma cooperativa agrícola, a outra tinha uma bandana vermelha na cabeça. Em um quadro branco se lia "Caixa", onde eram efetuados os pagamentos. Levei o nabo, os inhames e as bananas até onde estavam as senhoras.

Coloquei os itens sobre a bancada e, depois de pegar minha carteira, deixei escapar em voz alta:

– Monger!

As senhoras me olharam.

Um pequeno bichinho de pelúcia de uns 5 centímetros estava ao lado de uma placa de papel onde estava escrito à mão "Sejam bem-vindos!".

Monger. Era o personagem que aparece no mangá *21 Emon*, de Fujiko Fujio. Ele tem o corpo rechonchudo e um fio em espiral no topo da cabeça pontuda como uma castanha.

– Sinto muito. Esse aí não está à venda – advertiu a senhora de bandana quando fiz menção de estender o braço. – É um trabalho de feltragem com agulha da Sayuri. Ganhei de brinde quando peguei emprestado um livro da biblioteca.

– Sayuri?

– Sayuri Komachi, a bibliotecária. Foi ela que fez.

O personagem mais conhecido de Fujiko Fujio é o Doraemon. Esse autor de mangás tem muitas outras obras famosas, mas *21 Emon* não teve tanto sucesso. É uma ficção científica que descreve o mundo no futuro. Emon, o filho, herdou um hotel em ruínas. Na minha opinião, é a obra-prima de Fujiko Fujio.

Fiquei tão impressionado que desejava saber que tipo de moça era Sayuri Komachi. Não precisava falar com ela. Queria apenas ver seu rosto.

Enfiei os inhames e as bananas na sacola e, como o nabo era grande, coloquei-o debaixo do braço me dirigindo à biblioteca, conforme a senhora me instruíra.

* * *

Logo identifiquei o local na parte mais ao fundo do térreo.

Olhando da entrada, uma moça de rabo de cavalo estava sentada ao balcão. Teclava no computador com cuidado cada código de barras de uma pilha de livros.

Só podia ser Sayuri Komachi!

Ela era mais jovem do que eu imaginara. Ainda não devia ter nem 20 anos.

De estatura pequena e olhos negros arredondados e vivos, parecia um esquilo. Sua graciosidade combinava com seu nome e eu me apaixonei à primeira vista.

Se é uma biblioteca comunitária, o acesso deve ser livre. Será que qualquer pessoa pode entrar?

Ao me inclinar para entrar, Sayuri olhou na minha direção. Assustado, minhas pernas estancaram de imediato.
– Boa tarde – disse ela com um sorriso luminoso.
– Ah, oi – respondi, atrapalhado.
Entrei na biblioteca.
Ao contrário de uma livraria, que lida com lançamentos, no interior da biblioteca o tempo parecia ter se sedimentado no ar. O espaço era mais compacto do que nas bibliotecas distritais. Fui invadido pela nostalgia de me ver cercado por estantes de livros.
Olhei ao redor. E, tomando coragem, comecei a falar com ela.
– Hã... Vocês têm mangás?
– Temos, mas poucos – respondeu ela, sorridente.
Havia tempos eu não conversava com uma moça. Embalado pela maneira doce como me respondeu, me atrevi um pouco mais.
– Você gosta de *21 Emon*?
– *21 Emon*?
– Do Fujiko Fujio.
– Só conheço o *Doraemon*... – Ela sorriu constrangida.
Surpreso e entristecido com essa reação bastante comum, eu me apressei a perguntar:
– Mas você não fez um Monger e deu de brinde a uma senhora do mercadinho?
– Ah! – exclamou. – Você se refere ao mascote que a senhora Muroi trata com muito carinho? É obra da Komachi, a bibliotecária. Ela fica na seção de consultas ali no fundo! Ela pode fazer também recomendações de mangás.
Uma nova campainha tocou no fundo do meu peito. Então havia outra funcionária. Eu não havia percebido por causa da pilha de livros na frente dela, mas olhando bem a moça de rabo de cavalo vi que no crachá pendurado no seu pescoço estava escrito "Nozomi Morinaga".
Cheio de expectativas, fui até o fundo da biblioteca. A seção

de consultas parecia ficar do outro lado de um anteparo que fazia também as vezes de um mural de avisos.

Quando olhei atrás do anteparo, fiquei surpreso.

Não havia ali nenhuma moça com jeito de Sayuri Komachi. Apenas uma senhora muito branca e obesa, com uma expressão assustadora, afundada atrás do balcão.

Voltei à entrada e perguntei a Nozomi:

– Olha, lá só tinha uma senhora parecida com o panda Genma Saotome.

– Quem é esse?

– Do mangá *Ranma 1/2*! Quando entra em contato com água, Genma vira um panda...

– Uma pessoa se transforma em um panda? Nossa, que fofo.

Mal sabe ela que esse panda é muito mal-encarado e de aparência aterrorizante, pensei.

Sem querer dar explicações, perguntei:

– A pessoa que está lá é a sra. Komachi? A que faz bonecos de pelúcia?

– Sim, é ela! Sua habilidade manual é incrível.

Ah... Então era isso.

Estava tão convencido de que se tratava de uma jovem que me espantei, mas, se aquela senhora tinha feito um Monger, isso por si só fez brotar em mim um renovado interesse. Quem sabe pudéssemos manter um diálogo?

– Se quiser, posso guardar suas coisas! Por favor, vá até lá. – Nozomi estendeu a mão.

Sem poder resistir ao seu rosto sorridente, entreguei-lhe a sacola e o nabo.

E me dirigi novamente à seção de consultas. Ao olhar mais uma vez, realmente a senhora tinha no peito um crachá com o nome Sayuri Komachi. Ela movimentava as mãos, absorta. Ao me aproximar, vi que ela parecia estar fazendo um pequeno bichinho de pelúcia. Sobre uma esponja quadrada, ela espetava sem parar uma fina agulha em uma bola de lã bem redonda. Aquele era o jeito correto de fazer?

A sra. Komachi interrompeu de repente a tarefa e olhou para mim. Levei um susto quando nossos olhos se cruzaram.

– O que você procura? – perguntou ela.

Não havia nada de estranho nisso, mas ainda assim me assustei. O que eu procuro? A pergunta foi feita em uma voz grave e profunda e eu próprio me espantei com as palavras que de imediato me vieram à cabeça. Surpreso, meus olhos se encheram de lágrimas.

O que eu procuro... Ah, sim, é isso que eu procuro...

Que droga! Por que estou chorando?, pensei, enxugando meu rosto com a palma da mão.

Sem mudar a expressão facial, a sra. Komachi voltou a olhar suas mãos e se pôs a movimentar a agulha.

– A Rumiko Takahashi é ótima, não?

– Quê?

Era a autora de *Ranma 1/2*. Pensei que tinha dito aquilo em voz baixa, mas a sra. Komachi ouviu. Talvez tivesse se ofendido quando falei que ela parecia Genma Saotome.

– *Urusei Yatsura* e *Maison Ikkoku* também são bons. Mas a minha preferida é a série *Mermaid Saga*.

– A minha também! A minha também!

Depois disso, por um tempo eu e a sra. Komachi conversamos sobre nossos mangás prediletos. *Hyoryu Kyoshitsu*, de Kazuo Umezu; *Master Keaton*, de Naoki Urasawa; *Hi Izuru Tokorono Tenshi*, de Ryoko Yamagishi... Foram muitos.

Eu mencionava um título, ela o conhecia. Embora não fosse do tipo tagarela, enquanto trabalhava no seu bichinho de pelúcia, com um comentário breve ela acertava em cheio no alvo. Eu estava impressionado.

Ela abriu uma caixa laranja que estava sobre a mesa. A caixa, com sua estampa hexagonal e desenho de flores brancas, era de biscoitos Honey Dome, conhecidos por todo mundo. São cookies macios, presentes em reuniões familiares. Lembro que minha avó dizia como eram "deliciosos e fáceis de comer".

Pensei que ela fosse me oferecer um, mas dentro da caixa havia objetos necessários aos trabalhos manuais. Ela reutilizava uma caixa vazia. Komachi espetou a agulha numa almofada, fechou a caixa e olhou para mim.

– Apesar de jovem, você conhece mangás antigos.

– Meu tio tem um mangá café… Eu frequentava quando estava no primário.

Esse mangá café era diferente dos cibercafés de agora. Como diz o nome, era uma "cafeteria com muitos mangás disponíveis". Na época ainda havia muitos desses cafés. Não eram cabines individuais. O cliente ocupava uma mesa, pedia uma bebida e podia ler mangás à vontade.

Quando eu estava no segundo ano do primário, minha mãe começou a trabalhar fora e, na volta da escola, eu ia de bicicleta ao mangá café Kitami, administrado pelo meu tio materno e sua esposa. Eles não me cobravam nada (talvez minha mãe lhes pagasse depois). Me serviam sucos e me deixavam livre para fazer o que desejasse. Até minha mãe voltar, eu passava ali todo o tempo lendo os mangás que lotavam as estantes.

Foi lá que eu conheci meus inúmeros "amigos" saídos dos mangás.

De tanto reproduzir as imagens deles por imitação, a certa altura comecei a me apaixonar por desenho. Queria aprender mais sobre ilustração e passei a frequentar uma escola de desenho depois de me formar no ensino médio.

Entretanto, não encontrei trabalho. Além de não conseguir colocação como ilustrador, que era o meu sonho, não sabia como escolher emprego em outro ramo. Acreditava ter algum talento para desenho, mas não tinha outras habilidades. Se eu não conseguia sequer uma posição como ilustrador, que dirá em outras áreas.

Tendo fracassado na minha procura, comecei a fazer pequenos bicos, e no momento estava desempregado.

– Os mangakás são formidáveis, não? Sou apaixonado por desenho e frequentei uma escola especializada. Mas cheguei à conclusão de que é difícil conseguir emprego como ilustrador.

Era uma justificativa insuficiente para explicar o motivo de eu estar desempregado. Komachi inclinou a cabeça, provocando um estalido em seu pescoço.

– Por que você acha difícil?

– Só poucas pessoas conseguem viver disso. Não acontece somente com o desenho. Talvez nem mesmo uma em cada cem pessoas consiga trabalhar com aquilo de que realmente gosta.

Komachi girou o pescoço e levantou o dedo indicador.

– Vamos fazer um cálculo.

– Quê?

– Uma em cada cem pessoas representa um centésimo, ou seja, um por cento.

– É.

– Mas nessa conta existe só uma pessoa para fazer o que você quer fazer, que é você mesmo. Então a sua chance é de cem por cento.

– Hein?

– A possibilidade é de cem por cento.

– Mas...

Ela não estaria me enrolando com esse cálculo? Ela se mantinha séria, não parecia estar de gozação comigo.

– Vejamos!

Komachi se empertigou na cadeira diante do computador.

E, de repente, *tatatatatatata*, começou a teclar com uma velocidade absurda. Ao ver a cena, como num reflexo condicionado, exclamei em tom bem-humorado:

– A senhora não deve nada a Kenshiro!

Eu me referia à técnica de "cem socos de Hokuto", do mangá *Hokuto no Ken*. Numa velocidade estonteante, Kenshiro podia dar conta de um inimigo antes que ele percebesse o que estava acontecendo.

Sem replicar, a sra. Komachi bateu com força uma última vez no teclado e logo depois me entregou uma folha impressa.

– Você agora está vivo, fique sabendo! – murmurou ela numa voz ameaçadora.

Seu rosto sério me assustou. Mas logo entendi que a fala era uma paródia ao bordão "Você agora está morto, fique sabendo!", usado por Kenshiro.

Na folha havia uma única linha com o título de um livro, seu autor e o número da prateleira.

Registro da evolução ilustrado: o mundo visto por Darwin e seus pares.

– Ah... Que tipo de mangá é esse?

– Não tenho mangás para lhe recomendar. Nenhum rivalizaria com os tesouros que você leu quando criança.

Dizendo isso, ela abriu uma gaveta sob o balcão. Dela, tirou algo que me entregou. Tinha uma textura macia. Seria um Monger?

Minha expectativa foi frustrada. Era um aviãozinho. De fuselagem cinza e asas brancas. Sua cauda verde até que era charmosa.

– Tome. É um brinde com o livro! Para você.

Ela se expressava sem emoção. Em meio à minha confusão, a sra. Komachi abriu a caixa de Honey Dome. Com seu ar mal-humorado, voltou a trabalhar no boneco de pelúcia. Foi como se de repente um muro de ferro se erguesse entre nós. A conversa tinha terminado.

Sem alternativa, fui com a folha em mãos procurar a estante. Esse livro enorme e pesado, parecendo uma enciclopédia, estava na estante de "Ciências naturais", bem próximo da seção de consultas.

Sobre um fundo preto havia a foto de um pássaro em tom acinzentado. Era o seu perfil em close. O bico, de ponta fina e curva, era rígido, e cílios espessos adornavam seu grande e expressivo olho. A ave era incrivelmente linda. Parecia *Hi no Tori*, de Osamu Tezuka.

O título estava escrito em branco. Sob as letras garrafais de *Registro da evolução ilustrado* constava o subtítulo: *O mundo visto por Darwin e seus pares.*

Darwin e *seus pares*?

Eu me agachei ali mesmo e abri o livro. De tão pesado, não conseguia lê-lo de pé.

A primeira metade continha longos textos, e a restante parecia formada por uma coletânea de magníficas fotos. Pássaros, répteis, plantas, insetos… Cada foto colorida de maravilhosa composição era uma verdadeira obra de arte. Por vezes, a foto era acompanhada de um texto explicativo ou um comentário.

Era um mistério o motivo de a bibliotecária ter me recomendado esse livro, mas as fotos eram sem dúvida fascinantes. De cores vivas, bizarras e assustadoras, elas chamavam bastante a atenção. Embora existissem na realidade, os modelos das fotos pareciam saídos de um mundo de fantasia.

Nozomi passou próximo de mim para devolver livros às estantes.

– Quer que eu faça um cartão de empréstimos para você? Se morar no distrito, pode pegar livros emprestados.

– Ah, não… Quer dizer… É pesado demais para levar e hoje eu tenho o nabo e as outras compras.

Ouvindo minha hesitação, a voz da sra. Komachi veio voando detrás de mim.

– O que acha de vir lê-lo aqui?

Ao me virar, vi que ela olhava para mim.

– Vou deixar o livro separado, com uma etiqueta sinalizando que está emprestado. Assim, você pode vir lê-lo sempre que desejar.

Ainda agachado, eu observava a sra. Komachi. Quase chorei de novo ouvindo suas palavras. Brotou em mim uma alegria e uma paz indescritíveis. Aquele lugar me acolhia.

– Vai demorar um tempão para ler de cabo a rabo esse tijolão! – disse ela e sorriu, esticando bem os lábios.

Assenti quase que inconscientemente.

✳ ✳ ✳

No dia seguinte, um sábado, peguei um trem, algo que não fazia havia tempos.

Havia uma reunião dos colegas do ensino médio. Era o tipo de evento de que eu nunca participaria, mas dessa vez eu tinha um bom motivo para ir.

No dia da cerimônia de formatura, nós enterramos em um canto do pátio da escola uma cápsula do tempo. Cada um de nós escreveu o que desejava em um papel do tamanho de um cartão-postal. Combinamos de abri-la na reunião de nossos 30 anos.

No convite estava escrito: "Caso não possa comparecer, o organizador do evento enviará a sua mensagem por correio nos próximos dias." Senti um arrepio pelo corpo. Se as mensagens tivessem sido guardadas em envelopes lacrados não haveria problema, mas com certeza na época apenas as dobramos em quatro e botamos nosso nome.

Precisava pegar a minha a qualquer custo antes que alguém a lesse.

Estava previsto um jantar em um restaurante após abrirmos a cápsula do tempo, mas eu não pretendia ir.

Aos 18 anos, qualquer pessoa está convicta de que se tornará madura e bem-sucedida aos 30. Eu sentia que, ao chegar a essa idade, teria resolvido todos os meus problemas.

Na época, eu estava ingenuamente feliz, porque iria frequentar uma escola de desenho. Não precisaria mais estudar matemática ou ter aulas de educação física, que eu detestava – dali para a frente, eu só desenharia. E, depois disso, caí na ilusão de achar que o caminho para trabalhar como ilustrador estava preparado.

"Vou ser um ilustrador que gravará seu nome na história."

Foi a mensagem que deixei. Só de me lembrar, sinto vontade de chorar.

Não que eu tivesse confiança na minha capacidade ou que levasse as coisas a sério. Foi um arroubo da juventude, algo impulsivo, impensado. Contudo, mesmo não chegando ao ponto de deixar meu nome gravado na história, esperava ter conseguido, pelo menos, um trabalho em um lugar onde fosse possível desenhar.

* * *

Pela primeira vez eu cruzava o portão da escola desde minha formatura, doze anos antes.

A um canto do pátio, próximo a uma enorme faia, já havia muitas pessoas reunidas. Perto da raiz da árvore estava colocada uma placa de plástico semelhante a uma lápide onde se lia "17ª Reunião de Alunos – Cápsula do Tempo".

Sugimura, o organizador, estava de pé segurando uma grande pá. Ele tinha sido nosso representante de turma. Trajava uma camisa elegante sob uma luxuosa jaqueta.

Quando me aproximei, vários deles me saudaram com um leve gesto de cabeça ou um aceno de mão. Porém, foi apenas isso. Logo todos voltaram a conversar com as pessoas ao lado. Talvez ninguém se lembrasse de mim.

Debaixo da árvore, eu observava a cena quando alguém me chamou.

– Hiroya.

Ao me virar, ali estava um homem de baixa estatura e magro. Era Seitaro. Não éramos exatamente amigos, mas ele era o colega com quem eu mais conversava. Calmo, leitor voraz, não era do tipo de se enturmar. Desde nossa formatura, trocamos apenas cartões de Ano-Novo, e assim fiquei sabendo que ele trabalhava na Secretaria de Águas.

Seitaro exibiu um sorriso amigável.

– Você está ótimo.

– Você também.

Baixei a cabeça, receando que ele fosse perguntar minha ocupação atual.

Dois homens se aproximaram de nós. Um deles se chamava Nishino. Não me recordava do nome do outro. Era o mais agitado da turma. Não me lembro de ter tido uma conversa mais séria com ele.

– Ah, se não é o Seitaro!

Nishino inclinou o corpo, sorridente. Olhou também de relance para mim, mas não parecia disposto a conversar comigo. Desviei o rosto.

Sugimura ergueu a voz.

– Então, pessoal, parece que todos chegaram. Vamos começar!

Nós nos agrupamos próximo a ele.

Sob nossos olhares atentos, ele revolveu a terra e sem demora um barulho metálico se fez ouvir. A ponta da pá havia batido na lata.

Com suas mãos enluvadas, Sugimura a colocou de lado. Pude vislumbrar uma cor prateada fosca dentro de um saco plástico. Um grande clamor irrompeu assim que o saco foi retirado das entranhas da terra.

De dentro dele saiu uma lata de biscoitos de arroz selada com fita adesiva. Sugimura retirou com cuidado a fita adesiva e abriu a tampa. A lata estava repleta de papéis um pouco amarelados, dobrados de diversos jeitos. Eram as nossas mensagens, que viveram no subsolo por doze anos.

Cada um estendia o braço ao ser chamado. Alguns abriam a mensagem e riam, outros a mostravam, excitados, outros ainda a liam em voz alta. Todos se divertiam.

As mensagens continham sonhos futuros, declarações de amor, queixas secretas.

Todos estavam animados e autoconfiantes. Estávamos com 30 anos. Diversas coisas na vida já tinham sido decididas, há tranquilidade, cada um tem seu trabalho e sua família. Obviamente nenhum de nós era mais um estudante. Éramos adultos que, sem o uniforme escolar, evoluímos de alguma forma.

Meu nome finalmente foi chamado. Recebi o papel das mãos de Sugimura e apenas o enfiei no bolso da jaqueta sem abri-lo. Ótimo, completara minha tarefa. Soltei um suspiro de alívio. Já podia ir embora.

O próximo a ser chamado foi Seitaro. Ele abriu com toda a delicadeza sua folha.

– Oi, mestre Seitaro! – exclamou Nishino esticando o pescoço por detrás dele.

No centro da folha estava escrito numa caligrafia cuidadosa apenas "Eu me tornarei escritor".

– Ah, tem razão, quando estávamos no ensino médio você enviou um texto para uma revista literária, não foi? Ainda escreve romances e coisas do gênero? – perguntou Nishino, zombeteiro.

– Escrevo. – Seitaro se limitou a responder.

– Nossa. E já teve algum livro publicado?

O tom de voz de Nishino denotava que ele não considerava

essa possibilidade. O outro cara de cujo nome não me lembrava entrou na conversa.

– Como é? Está publicando livros?

– Ainda não. Mas estou sempre escrevendo! – respondeu Seitaro.

Nishino riu com sarcasmo.

– É incrível! Com essa sua idade ainda tenta realizar seu sonho!

Olhei furioso para Nishino.

Tome vergonha! Peça desculpas a Seitaro por ridicularizá-lo. O romance dele é muito interessante. O que você pretende com sua arrogância? Fazer pouco caso de alguém esforçado é nojento. Deixe de zombaria!, pensei em dizer, mas não falei nada.

Sem nem perceber que eu os olhava mal-encarado, Nishino e o outro cara se reuniram a um grupo de três mulheres próximo a nós e começaram a conversar animados.

Na época do ensino médio, Seitaro me deixou ler seu romance. Em um intervalo das aulas, ele veio com calma até mim enquanto eu desenhava. Depois de me elogiar com entusiasmo pelos meus desenhos, ele me entregou um caderno. "Quer ler meu livro?", perguntou. Para ser sincero, não me lembro mais da história, mas sei que me emocionou muito.

– Vou embora – anunciei.

Quando comecei a andar, ele veio atrás de mim.

– Espere, vamos juntos.

O franzino Seitaro. Tudo nele é delicado. Pescoço, dedos, cabelos.

– Não vai ficar para o jantar? – perguntei.

Ele balançou a cabeça vivamente.

– Eu também avisei que não participaria.

Cruzamos o portão da escola deixando para trás o grupo animado. Ninguém prestou atenção em nós.

Caminhamos pela rua até a estação conversando trivialidades: a faia cresceu bastante, este ano fez calor no inverno, coisas assim.

– Que tal tomarmos um café? – sugeriu ele quando passamos em frente ao Mister Donuts.

Como ele sorriu acanhado, eu também fiquei sem jeito e apenas concordei, desviando o olhar. Meio constrangidos, entramos e pedimos apenas bebidas antes de ocuparmos uma mesa.

– Hiroya, você desenhava tão bem. Frequentava uma escola de desenho, não era? – perguntou Seitaro, sentado à minha frente.

– Sim... Mas não deu em nada. Meus desenhos não são do tipo apreciado pelo público em geral. Mesmo na escola de desenho várias vezes criticaram o meu estilo.

– Nossa. Disseram que meus romances eram muito convencionais. Superficiais e sem suspense. Eu me inscrevi várias vezes em prêmios literários para escritores iniciantes, mas nas raras vezes em que fui selecionado foram esses os comentários.

Ele riu com vivacidade e tomou seu café com leite. Tenho respeito por ele.

– Mas você continua escrevendo romances desde então, não? Isso é maravilhoso.

– Eu me concentro em escrever à noite e nos fins de semana. Trabalho nos outros dias.

É, as coisas são assim.

Ele trabalha com uma coisa diferente daquilo que deseja e dessa forma ganha a vida. Ao mesmo tempo se esforça para realizar seus sonhos. Eu o admiro de coração por lutar por seus objetivos.

– O trabalho na Secretaria de Águas é estável?

Embora eu achasse uma pergunta banal, Seitaro envolveu a xícara com ambas as mãos e disse:

– Existe algum trabalho estável?

– O de funcionário público, como você, ou de um assalariado em uma empresa de grande porte...

Ele sacudiu a cabeça negativamente.

– Não existe! A estabilidade absoluta não existe em nenhum emprego. Todo mundo apenas tenta dar o seu melhor para seguir em frente.

Em contraste com a expressão doce, sua voz era grave.

– Não há certeza de nada na vida. Mas o lado bom disso é que, se não há segurança de que as coisas vão dar certo, também não há garantias de que vão dar errado.

Ele mostrava com isso seu desejo de continuar tentando realizar seus sonhos.

Eu me lembrei das palavras de Nishino. Novamente, fui tomado por um acesso de raiva e cerrei os punhos.

– Seitaro, você vai se tornar um escritor e mostrar ao Nishino que ele está errado.

Ele riu com calma e de novo sacudiu a cabeça negativamente.

– Quem faz pouco caso vai continuar rindo de mim, não importa quem eu me torne! Vão procurar as menores falhas. Mas não me importo com o que pessoas que nunca leram meus romances possam dizer.

Ele bebeu todo o seu café com leite e me olhou fixamente.

– Não sou do tipo que quer mostrar aos outros que estão errados ou que agem por despeito. O que me motiva é uma coisa bem diferente.

Seus olhos brilhavam. Ele era calmo, mas determinado. Eu o invejava um pouco, pois, em seu corpo franzino, ele possuía algo que o motivava.

– Seitaro, você não se preocupa em envelhecer sem ter seus romances reconhecidos? – perguntei, escolhendo bem as palavras.

– Sim – afirmou, erguendo os olhos e refletindo por um momento. – Eu me preocupo, mas o Haruki Murakami começou aos 30 anos. Durante muitos anos ele trabalhou com afinco.

– Verdade.

– Mas, como eu talvez passe dos 30 antes de ser publicado, já procurei às pressas pelo meu exemplo seguinte: Jiro Asada. Ele começou a escrever aos 40.

– Isso te dá uma folga de dez anos – falei, e ele riu com franqueza.

– Mesmo que eu passe dos 40, outros autores começaram mais tarde. Não há limite de idade para se lançar como escritor. Sem dúvida cada um tem o próprio momento – disse, enrubescido.

Propôs continuarmos nos falando e pela primeira vez instalei no celular um aplicativo para trocas de mensagens.

* * *

No dia seguinte, conforme proposto pela sra. Komachi, fui até a biblioteca do Centro Comunitário.

O local estava vazio, calmo. Apenas visitantes mais velhos entravam vez por outra.

Sem uma palavra, ela colocou sobre o balcão o *Registro da evolução*. Um elástico prendia um papel sobre o livro, onde estava escrito *emprestado*. Eu poderia lê-lo quando desejasse.

Fiz um breve aceno com a cabeça, peguei o livro e o abri depois de me sentar à mesa de leitura diante do balcão de empréstimo.

Já na primeira página da introdução, a expressão *seleção natural* me saltou aos olhos.

Eu a havia aprendido na escola. Os organismos que se adaptam ao meio ambiente sobrevivem; os demais são extintos pela natureza. E uma frase em especial me afligiu.

Características favoráveis tendem a ser preservadas, enquanto as desfavoráveis são destruídas.

Favorável, desfavorável – mas para quem?

Incomodado, continuei lendo a introdução, que se chamava "Darwin, Wallace e o nascimento da Teoria".

Quando as pessoas pensam na Teoria da Evolução, normalmente pensam em Charles Darwin. Mas, conforme eu aprendia agora, havia outro nome envolvido nessa história: Alfred Russel Wallace, um naturalista catorze anos mais novo.

Ambos eram pesquisadores dedicados e apaixonados por besouros. Mas tanto a situação quanto a personalidade dos dois eram bem distintas.

Darwin era rico. Wallace passava por dificuldades financeiras. Cada um chegou por si à teoria da evolução por meio da seleção natural.

Só que na época se acreditava cegamente na visão bíblica da criação. Todo o universo teria sido criado por Deus e quem discordava era duramente criticado.

Darwin temia publicar sua teoria, mas Wallace não hesitou em escrever sua tese. Com isso Darwin se apressou.

Se não quisesse perder toda a primazia sobre a teoria que durante anos havia acalentado, não lhe restava alternativa senão publicá-la. Darwin tomou uma decisão.

Mesmo hesitante, decidiu publicar *A origem das espécies*. E até hoje não há quem não conheça esse livro e o nome de seu autor.

Irritado, percorri com os olhos o restante do texto e sacudi a cabeça ao ler que Wallace costumava dizer "Nós éramos bons amigos", referindo-se a Darwin.

Será mesmo, Wallace?

Foi Wallace quem primeiro falou sobre a teoria. Apesar disso, foi Darwin que gravou seu nome de forma tão grandiosa na história.

Por vezes acontecia algo parecido comigo quando eu estava na escola de desenho. Depois de olhar de relance o meu trabalho, um colega imitava a composição ou partes dele. A técnica desse colega era excelente e ele era muito elogiado, ainda que a ideia da ilustração fosse minha. Eu ficava muito chateado, mas nunca contei isso pra ninguém. Tinha medo de dizer que ele me copiou e ninguém acreditar em mim.

Respirei fundo e virei a página.

A foto do fóssil de um pássaro tomava todo o espaço. A legenda dizia que era um *Confuciusornis* do Cretáceo. Parecia dormir com suas asas languidamente estendidas. O bico estava entreaberto. Olhando seu esqueleto conservado de forma magnífica e perfeita, fui assaltado pela súbita vontade de desenhá-lo. Havia tempos não me sentia assim. Não conseguia conter a minha empolgação.

Eu me lembrei da folha anexada ao livro pela sra. Komachi. Levantei e fui até o balcão pedir emprestada uma caneta a Nozomi.

O verso em branco de uma folha e uma caneta esferográfica preta: era tudo de que eu precisava.

Olhando o fóssil do *Confuciusornis*, eu o reproduzi sem pressa.

Pouco a pouco, o pássaro nascia da ponta da caneta. Não me limitando a reproduzi-lo, a partir dali deixei fluir minha imaginação. Eu lhe dei foices afiadas nas pontas das asas para que pudesse rasgar as forças do mal. Dentro de suas cavidades oculares viviam peixinhos dourados.

De tão absorto, só percebi Nozomi perto de mim quando terminei de desenhar. Ela soltou um grito, me assustando. Com certeza depois desse grito ela dirá: "Que coisa asquerosa."

Mas, com os olhos brilhantes, Nozomi exclamou:

– Professora, olha isso! Veja que desenho maravilhoso o Hiroya fez!

Fiquei muito emocionado. Além de ter elogiado meu desenho, ela me chamou pelo nome, que devia lembrar de quando fez para mim o cartão da biblioteca.

A sra. Komachi se levantou pesadamente e saiu do balcão. Balançando o corpo com calma, caminhou até a mesa e se postou ao meu lado. Emitiu um gemido estranho antes de dizer:

– Que original!

– Que tal se inscrever em concursos de desenho? – sugeriu Nozomi.

– Não, é perda de tempo...

Fiz menção de amassar a folha, mas Nozomi às pressas me impediu.

– Espere. Se for jogar fora, posso ficar com ele?

– Quer mesmo? Mas é grotesco.

– Está perfeito.

Ela arrancou a folha da minha mão e a pressionou contra o peito.

– Grotesco, espirituoso e feito com amor, posso sentir.

Meu coração palpitava de alegria por alguém ter me compreendido. Mas não queria ficar me achando. Estava na cara que ela só quis ser gentil.

Fosse como fosse, o esqueleto de pássaro que deveria ir para a lixeira fora salvo pelas mãos de Nozomi. Abri um sorriso, sentindo que eu desejava voltar amanhã.

***

No dia seguinte, quando me dirigia para a biblioteca, aquela senhora de bandana estava limpando o corredor. Seu nome é Muroi. Esfregava o corrimão com um pano.

– Bom dia – disse ela ao me ver. – Hoje é folga da Sayuri.

– Ah, é mesmo?

Falando nisso, foi por causa da sra. Muroi que comecei a frequentar a biblioteca.

– A senhora a chama pelo primeiro nome, então pensei que ela fosse uma moça – murmurei.

A sra. Muroi gargalhou.

– Se comparar com meus 62 anos, ela é jovem! Tem só 47.

Uma jovem de 47 anos. E eu, aos 30, já me julgava um velho. Talvez essa coisa de idade seja relativa.

Mesmo assim, a sra. Komachi tinha 47 anos? Eu sentia como se ela não tivesse idade.

– A senhora gosta do Monger? – perguntei.

– Monger! – gritou ela, imitando o personagem.

Tomado de surpresa, dei um passo atrás e a sra. Muroi caiu na gargalhada.

– Adoro. Monger, o ente absoluto!

Apesar de sua aparência descontraída, Monger é mesmo um ente absoluto que suporta calor escaldante e frio intenso transformando tudo o que come em energia. Também é capaz de se teletransportar.

– Ele fica amuado se não lhe dão atenção e chora quando está triste. E olha que ele tem superpoderes e um corpo forte que lhe permite sobreviver em qualquer ambiente. Mas, afinal, o que significa ser forte? – refletiu a sra. Muroi.

Pressenti que ela dizia algo muito profundo e permaneci em silêncio.

– Três anos atrás, quando a Sayuri veio trabalhar aqui, eu disse a ela que gostava do Monger quando fui consultá-la a respeito de um livro de culinária. Ela me deu de presente o enfeite de feltro de lã feito à mão juntamente com o livro. Eu me emocionei e, ao agradecer pelo "brinde", ela parece ter gostado dessa palavra que usei.

Isso significa que a ideia dos "brindes" da sra. Komachi partiu da sra. Muroi.

– Vocês são amigas, não é?

– Ahã – ela assentiu e se agachou para enxaguar o pano de chão dentro do balde. – Mas vou parar de trabalhar no final de março.

Ainda agachada, ela ergueu os olhos na minha direção com um sorriso repleto de orgulho.

– Minha filha vai ganhar neném em abril. Vou ter um netinho, vou virar vovó. Quero ficar ao lado dela ajudando por um tempo. Vou aproveitar para me aposentar. A partir de abril, alguém vai vir me substituir.

Aparentemente, os funcionários do centro são contratados pelo prazo de um ano, renovável se ambas as partes assim o desejarem.

– Só tenho mais um mês aqui – disse ela afastando-se e levando o balde.

* * *

Ao entrar na biblioteca, Nozomi sorriu para mim.

Como disse a sra. Muroi, a sra. Komachi estava ausente. Na extremidade do balcão da seção de consultas, o *Registro da evolução* estava envolvido por um elástico.

Hoje também estava calmo, com poucos visitantes. Sentei sozinho à mesa de leitura e abri lentamente o livro. História da antiguidade, pássaros, animais de sangue quente. Chegando à metade do livro, eu agora lia sobre plantas. Estava cativado pelo frescor das plantas carnívoras quando senti de repente alguém me olhando. Ergui o rosto. Detrás do balcão, Nozomi me observava.

Ao ver que me surpreendi, ela abriu um sorriso.

– Sou um caso perdido, não é? Um cara da minha idade, desempregado, lendo sobre plantas carnívoras num lugar como este – falei às pressas para dissimular minha surpresa e meu embaraço.

Sorridente, Nozomi sacudiu a cabeça.
— Nada disso. Olhando você eu me lembrei dos tempos da escola primária. Eu vivia no ambulatório. Talvez nosso caso seja um pouco diferente, mas compreendo você.

Ela vivia na enfermaria?

Ela continuou:
— Antigamente, a Komachi era professora e enfermeira da escola primária daqui. E eu era aluna dela. Numa determinada época eu não conseguia entrar na sala de aula, e ficava com ela no ambulatório.

Pensando bem, Nozomi costuma chamar a sra. Komachi de "professora". Achei que fosse pelo fato de ela lhe ensinar diversas coisas como bibliotecária, mas pelo visto eu me enganei.

— Por que você não conseguia entrar na sala de aula? — perguntei.

— Por não me considerar capaz de ser como todos os outros.

Ah, é o mesmo comigo, pensei.

Sem saber se seria imprudente dizer isso, apenas assenti.

— Eu tinha pavor de barulho. Alunos do primário costumam gritar e gargalhar o tempo todo, não é? Eu também vivia tensa, me sentindo mal quando a professora chamava a atenção de algum colega. As crianças costumam perceber quando alguém é diferente assim. Não sofri bullying, mas me sentia ignorada por todos, como se eu fosse invisível — confessou Nozomi.

Esse seu tom revelava quanto ela devia ter sofrido com isso.

— Quando não consegui mais ir à escola, minha mãe conversou com a direção e ficou decidido que eu poderia ficar no ambulatório. No primeiro dia, a professora... quer dizer, Komachi... disse que minha redação sobre as leituras que eu tinha feito nas férias de verão era muito interessante. Ela havia lido os textos de vários outros alunos e indicou exatamente os pontos positivos que faziam o meu trabalho se destacar. Fiquei feliz de verdade, e sempre que lia um livro fazia um resumo e pedia que ela lesse.

Nozomi esquadrinhou lentamente com o olhar os livros enfileirados antes de prosseguir com tranquilidade:

– Levou tempo até eu ir aos poucos voltando para a sala de aula. Quando eu estava no ensino médio, Komachi começou a trabalhar aqui como bibliotecária. Quando contei sobre meu desejo de ter a mesma ocupação dela, ela me recomendou trabalhar como assistente.

– Assistente?

– É. Primeiro, eu frequentaria um curso para ser assistente e depois de dois anos trabalhando nessa função daria para fazer outro para me tornar bibliotecária.

– Nossa, para entrar no curso de bibliotecária é preciso uma experiência de dois anos como assistente?

– Sim, no caso de você começar logo depois do ensino médio. Depois do curso de bibliotecário de três meses, é preciso ter pelo menos três anos de experiência como assistente para tirar o diploma. Existe a possibilidade de entrar para a universidade, cursar todas as disciplinas necessárias e obter sua qualificação, mas minha família não tinha recursos para bancar um curso superior e eu também queria trabalhar logo.

O caminho é mais longo do que eu poderia supor. É difícil se tornar bibliotecária.

– É ótimo que você tenha decido desde cedo o que desejava fazer e que está avançando nessa direção – falei com sinceridade.

– Com você também foi assim, não foi? Depois de se formar no ensino médio, frequentou a escola de desenho.

– Mas ninguém gostava do meu estilo. Julgavam meus desenhos bizarros e sombrios demais.

Nozomi inclinou a cabeça de lado. Seu gesto era parecido com o da sra. Komachi.

– Hum... Hum.

Ela refletia sobre algo enquanto movimentava sem parar seus grandes olhos.

– Porco agridoce! – gritou ela de repente.

– Hein?

– O que você acha do abacaxi que colocam no porco agridoce? Por que isso de repente?

Inclinei a cabeça de lado, confuso. Enrubescida, Nozomi começou a falar com entusiasmo:

– Tem muita gente que detesta. Dizem ser intragável. Mesmo assim, por que continua a existir?

– É, por que será?

– Mesmo sendo talvez uma minoria, certas pessoas apreciam abacaxi no porco agridoce, adoram de verdade. Deve ser só uma questão de preferência. Mesmo não sendo aceito pela maioria, enquanto houver essa minoria a existência do prato está garantida.

Fiquei em silêncio.

– Eu adoro porco agridoce com abacaxi. E também aquele seu desenho, Hiroya.

Senti um alívio. Estava feliz. Ela se esforçava ao máximo em me incentivar. *Adorar* é uma palavra salvadora. Ela me dava a sensação de que eu e meu desenho éramos aceitos. Mesmo que ela estivesse apenas sendo legal.

* * *

Ao chegar em casa bem-humorado, minha mãe falava com alguém ao telefone.

Sua voz estava animada e ela parecia muito feliz. Logo entendi com quem ela conversava.

– Seu irmão volta para o Japão em abril! – exclamou ela após desligar.

Sua voz ressoou fundo na minha cabeça. De súbito senti como se levasse um soco.

– Ele vai voltar a trabalhar na matriz em Tóquio. Foi nomeado diretor de um departamento recém-criado.

Ah, que maravilha...

– Legal – falei para dissimular minha perturbação e fui para o banheiro.

Abri a torneira, a água escorreu.

Lavei as mãos com vigor. E também o rosto. Com muita água.

Na minha cabeça, martelava aquela frase do *Registro da evolução*. "Características favoráveis tendem a ser preservadas, enquanto as desfavoráveis são destruídas."

Meu irmão...

Ele é talentoso desde criança.

Quando eu estava no primário, meus pais se divorciaram e eu e meu irmão passamos a viver com nossa mãe.

Meu irmão, que na época estava no ensino médio, começou a estudar com mais afinco do que antes, parecendo ter raiva do nosso pai e das mudanças no ambiente familiar. Quando eu tentava puxar conversa, ele franzia a cara, aborrecido.

Tínhamos temperamentos diferentes. Eu vivia desanimado, ansioso e encolhido no meu canto. Dentro da nossa pequena casa, achava que não deveria perturbá-lo. Por isso, ao sair da escola, eu ia me refugiar no mangá café Kitami.

Mas, após me formar na escola primária, acabei não podendo mais frequentar o café. Isso porque minha mãe decidiu deixar para trás nossa vida no interior e se mudar para Tóquio, onde teria um trabalho que lhe permitisse nos criar sozinha.

Graças a meu irmão, que conseguiu uma bolsa de estudos na universidade e, ao se formar, entrou em uma empresa de importação e exportação, ela largou o árduo trabalho em tempo integral e começou um de meio período na sua padaria predileta.

Quatro anos atrás, meu irmão foi transferido para a Alemanha e, para ser sincero, isso foi um alívio para mim. Perto dele eu me sentia o mais inútil dos seres humanos.

Mas eu tentei. Tentei muito arranjar trabalho. Só não tive sucesso.

Após concluir a escola de desenho, eu me tornei vendedor de materiais didáticos. Vendia para cursinhos e domicílios em geral. De dia meu trabalho era externo, à noite fazia ligações da empresa. Eu não me comunicava bem, era um fardo para os colegas e me sentia um lixo com isso. Sem conseguir alcançar as metas, era sempre alvo da raiva dos meus superiores e dos funcionários veteranos. Costumavam dizer eu que não me empenhava o suficiente e era um imprestável.

Um mês depois meu corpo entrou em pane. Não era capaz de levantar da cama. Mesmo quando conseguia me arrastar até a porta, no momento de calçar os sapatos, meu cérebro paralisava, todo o corpo se enrijecia e as lágrimas jorravam. Quanto mais eu pensava que precisava ir trabalhar, menos meu corpo funcionava.

Foi vergonhoso minha mãe ser obrigada a se encarregar de todas as formalidades da minha demissão. Minha incompetência era ridícula e eu era um preguiçoso irremediável. Muito mais do que imaginei.

Depois de me demitir, descansei por um tempo, mas tentei fazer alguns bicos. Contudo, em lojas de conveniência e restaurantes fast-food é preciso realizar várias tarefas ao mesmo tempo e com rapidez. Eu cometia muitos erros e só atrapalhava. Duas semanas era o meu limite. No primeiro dia de trabalho em uma empresa de mudanças, desloquei o quadril e no dia seguinte me demiti.

Não aprendo rápido, não me dou bem com as pessoas nem tenho força física. Talvez não haja neste mundo um trabalho que eu seja capaz de realizar.

* * *

O semblante da minha mãe estava radiante.

Era natural. Afinal, seu filho alegre e talentoso, com quem ela podia contar, ao contrário de mim, voltaria para perto dela.

– Vamos até o aeroporto esperar por ele! – disse ela.

Não quero ir.

Meu irmão volta de um país distante de avião. E eu nunca estive a bordo de um.

Nesta casa, em que ele alcançou com sucesso a evolução, a minha existência é apenas "desfavorável".

* * *

Lembrei que a sra. Komachi tinha me dado um aviãozinho.

Antigamente, ao observar os pássaros, as pessoas deviam desejar também voar pelos céus como eles.

No entanto, por mais que tenha evoluído, o ser humano se deu conta de que jamais lhe brotariam asas. Então, construiu aviões.

Eu não posso me transformar em um pássaro nem construir um avião. Nunca vou ser capaz de voar.

* * *

"O que você procura?"

Quando a sra. Komachi me perguntou isso, a resposta que logo me veio à mente foi "Eu continuo procurando". Continuo procurando um lugar onde minha existência seja aceita. Onde eu possa ser quem eu sou, em paz.

* * *

O dia seguinte era folga de Nozomi.

Ao entrar na biblioteca, me surpreendi ao ver a sra. Komachi no balcão. Ela havia trazido a caixa de Honey Dome e, como sempre, confeccionava um boneco de pelúcia.

Olhei de soslaio para ela enquanto me dirigia à mesa de leitura.
– Que entusiasmo – murmurei para mim mesmo.
Sem tirar os olhos das mãos, a sra. Komachi disse:
– No passado, uma moça que ficava no ambulatório da escola costumava fazer feltragem com agulha. No começo, imaginei que ela gostasse de artesanato. Mas depois descobri que, quando você espeta com insistência a agulha na bola de lã, aprende a se concentrar. E, ao me entregar a essa tarefa, compreendi que é possível colocar a cabeça em ordem e aliviar a ansiedade e a melancolia. Aquela moça alcançava o equilíbrio dessa forma. Ela me ensinou uma coisa valiosa.

A sra. Komachi também sofria com ansiedade e melancolia, apesar de parecer inabalável. Surpreendente.

Sentado à mesa de leitura, abri o *Registro da evolução*.

A leitura acalmou um pouco meu coração perturbado da noite anterior. A presença da sra. Komachi é reconfortante. Embora ela pareça não ter nenhum interesse especial em mim, eu não me sinto rejeitado. Sou grato por tê-la por perto e por poder vir aqui todos os dias.

Só que isso é temporário. Eu não posso passar o resto da vida lendo livros na biblioteca. Os alunos da escola primária escondidos no ambulatório se formarão quando chegar a hora, mas eu não tenho um marco específico no meu futuro, um momento em que automaticamente as coisas tenham que mudar. E eu não tenho ninguém que me ajude a descobrir a hora certa de pular para a próxima etapa.

A seleção natural. Organismos incapazes de se adaptar ao ambiente perecem.

Sendo assim, melhor seria que eu desaparecesse logo. Por que sou obrigado a continuar vivendo infeliz, sabendo que sou incapaz de me adaptar por causa das minhas características desfavoráveis?

Se tivesse pelo menos uma habilidade que me permitisse sobreviver, poderia levar a vida, mesmo não tendo nenhum poder. Mesmo não fazendo nada incrível.

A dor de quem foi derrotado pela vida é uma realidade constante. Será que Wallace considerava mesmo Darwin um "bom amigo", apesar de não ter recebido nenhum crédito pela Teoria da Evolução?

Afundei o rosto sobre o livro aberto.

– O que houve? – perguntou a sra. Komachi numa voz sem entonação.

– Darwin era um crápula... Pobre Wallace. Ele foi o primeiro a tentar publicar a teoria, mas só Darwin levou a fama. Até ler este livro eu nem conhecia o nome dele.

O silêncio perdurou por algum tempo. Eu continuava cabisbaixo e ela devia estar espetando sua agulha.

Finalmente ela abriu a boca.

– Precisamos ter prudência ao ler biografias e livros de história.

Eu ergui o rosto. Nossos olhares se encontraram e ela prosseguiu lentamente:

– Você não pode esquecer que essa é apenas uma versão dos eventos. Somente as pessoas envolvidas conhecem a verdade! Quando uma coisa dita ou feita por alguém é transmitida a outras pessoas, surgem diferentes interpretações. Se na internet, em tempo real, há mal-entendidos, é impossível saber com certeza a veracidade de uma coisa tão distante no passado.

Ela inclinou a cabeça para o lado, provocando um estalido no pescoço.

– Pelo menos você aprendeu sobre Wallace lendo esse livro, não é? E está fazendo várias reflexões sobre ele. Isso não é suficiente para criar para Wallace um espaço neste mundo?

Teria eu criado esse espaço para ele?

O simples fato de pensar em alguém criaria um espaço para sua existência?

– Além disso, Wallace é muito famoso! Por exemplo, a Linha Wallace é muito conhecida por ser uma fronteira que marca a distribuição da fauna pelo planeta. Acredito que outras realizações dele foram devidamente reconhecidas! E, atrás dele, deve ter havido muitas pessoas notáveis que não deixaram seu nome na história.

A sra. Komachi tocou a testa com o dedo indicador.

– Deixando isso de lado, meu cérebro quase explodiu quando eu soube que *A origem das espécies* foi escrito em 1859.

– Hein? Por quê?

– Pense bem. Foi há apenas 160 anos. Bastante recente.

Bastante recente... Será mesmo? Enquanto eu refletia sobre isso, a sra. Komachi mexia de leve no seu enfeite de cabelo.

– Quando se chega próximo aos 50, a gente começa a se dar conta de que um período de cem anos é breve. Se eu me esforçar, talvez consiga viver 160 anos.

Ela me convenceu. Alguém como ela conseguiria.

Ouvi o ruído da agulha que ela espetava na bola de lã.

De olhos grudados no livro, pensei sobre os colegas de Wallace que não deixaram seus nomes gravados para a posteridade.

✳ ✳ ✳

Meu telefone tocou justo quando eu saía do Centro Comunitário.

Era Seitaro. Eu praticamente nunca recebia telefonemas de amigos. Parei e atendi, tenso.

– Hiroya, eu... eu...

Do outro lado da linha, a voz de Seitaro tremia.

– Seitaro, fale, o que aconteceu?

– Meu livro vai ser publicado...

– Hein?

— No final do ano passado recebi um e-mail da senhora Sakitani, editora da Maple. Na Festa Literária, no outono, eu apresentei o resumo de um romance e ela leu. Depois de muitas reuniões e algumas revisões no texto, hoje o projeto foi aprovado.

— Nossa, isso é fantástico! Estou feliz por você!

Estava mesmo. De verdade.

Era fantástico, realmente fantástico. Seitaro tinha realizado seu sonho.

— Você era a primeira pessoa a quem eu queria contar.

— Sério?

— Todo mundo devia achar que eu nunca me tornaria um escritor. No ensino médio, só você achou meu romance interessante e me encorajou a continuar escrevendo. Você deve ter se esquecido, mas suas palavras me deram muita força, foram o talismã mais confiável.

Seitaro chorava copiosamente e eu também não consegui conter as lágrimas. Afinal, ele acolheu com tanto carinho minhas palavras insignificantes.

Contudo, esse não foi o único motivo de Seitaro continuar a escrever e desejar ver seus escritos publicados. Sem dúvida, no fundo, ele acreditava em si mesmo.

— Então, vai largar a Secretaria de Águas e ser escritor? — perguntei.

— Nada disso. Justamente por causa do trabalho na Secretaria de Águas, pude continuar a escrever romances. Não vou largar, não! — replicou Seitaro.

Repeti em minha mente suas palavras. Refletindo sobre seu significado e sem me ater a qualquer lógica, sentia que podia entender.

— Precisamos comemorar — decretei antes de me despedir.

* * *

Empolgado, caminhei ao redor do muro do Centro Comunitário. Por fim, sentei em um pequeno banco de madeira de dois lugares diante de uma grade de ferro.

Do outro lado da grade estava o pátio da escola primária. Apesar de os prédios estarem interligados, não era possível acessar o centro por ali. As aulas deviam ter terminado, pois crianças brincavam subindo num trepa-trepa.

Era uma tardinha de final de fevereiro e os dias começavam a ficar mais longos.

Mais calmo, enfiei as mãos nos bolsos da jaqueta.

No da esquerda havia a folha da cápsula do tempo e no da direita, o artesanato da sra. Komachi.

Eu os sentia dentro dos bolsos. Retirei ambos e os observei, um em cada mão.

Pensei no avião. Um instrumento útil conhecido por todos. Ninguém agora se espanta ao ver um deles voando pelos céus repleto de passageiros e cargas.

* * *

Apenas 160 anos atrás havia a crença irrefutável de que todos os seres tinham sido originalmente criados por Deus e que sua forma não mudara nem jamais mudaria.

Todos acreditavam que as salamandras nasciam do fogo e as aves-do-paraíso tinham realmente vindo do paraíso.

Por esse motivo, Darwin hesitava em publicar sua tese. Ele temia ser expurgado por ter ideias incondizentes com a época.

Hoje, contudo, a Teoria da Evolução é lugar-comum. Coisas antes impensáveis fazem parte do cotidiano. Darwin, Wallace e todos os pesquisadores da época confiavam em si mesmos, continuando a estudar e publicar...

Eles mudaram o ambiente que os circundava.

Observei o avião na palma da minha mão direita.

Se eu falasse às pessoas de 160 anos atrás sobre um meio de transporte como esse, ninguém acreditaria.

Diriam que era impossível um pedaço de ferro voar.

Eu também não acreditaria.

E eu também não acreditava que tinha talento para desenho nem chance de ter um trabalho comum.

Mas refleti: até que ponto isso poderia limitar minhas possibilidades?

Na minha mão esquerda estava o meu "eu" do ensino médio conservado dentro da terra. Peguei a folha dobrada em quatro e finalmente a abri.

Eu me espantei ao ler a mensagem ali escrita.

"Desenhar ilustrações que fiquem gravadas no coração das pessoas."

Era o que estava escrito com a minha letra.

Eu tinha escrito isso?

Em algum momento ao longo desses anos, confundi as palavras. Jurava que tinha escrito que "gravaria meu nome na história". Então, de repente, toda a crença que construíra sobre mim mesmo se desintegrou. Eu me fazia de vítima e culpava um mundo que não me aceitava, mas, no fundo, eu nunca quis fazer nada grandioso. Só queria tocar o coração das pessoas.

Eu me lembrei da mão de Nozomi salvando o desenho que eu quis amassar. E de sua voz afirmando que gostava dele. Não aceitei seu elogio de coração aberto. Considerei se tratar de mera gentileza. Porque eu não confiava em mim nem nas pessoas.

Pedi perdão ao Hiroya de 18 anos.

Ainda não é tarde! Em vez de procurar algo distante como gravar meu nome na história, mais do que isso, mais do que tudo, quero fazer pelo menos um desenho que fique gravado para toda a vida no coração de alguém.

Não seria esse o espaço onde minha existência seria aceita?

***

No dia seguinte, fui ao Centro Comunitário munido de um caderno de esboços e diversos lápis.

Assim como o *Confuciusornis*, no *Registro da evolução* havia muitas fotos que despertavam minha criatividade. Independentemente de inscrever minhas obras em um concurso ou não, queria sobretudo voltar a desenhar.

Logo ao entrar no centro, o senhor de cabelos brancos que sempre estava na recepção conversava de pé com a sra. Komachi. Passei ao lado deles e me dirigi à biblioteca.

Peguei o *Registro da evolução*, sentei à mesa de leitura e comecei a escolher uma foto. Ao vê-las com a intenção de desenhar uma delas, uma nova excitação me dominou. E se eu desenhasse um besouro-serrador norte-americano? Poderia criar um personagem dotado de asas de morcego. Ah, uma opção também interessante seria fazer um retrato de Wallace com lápis de ponta rígida.

Enquanto eu folheava as páginas exultante, a sra. Komachi retornou e começou a conversar com Nozomi no balcão de empréstimos.

– Muroi disse que vai ter que se ausentar por um tempo.

Ergui o rosto na direção do balcão, tentando ouvir.

– Parece que a filha vai ter o bebê antes da data prevista – continuou ela. – Sinto muitíssimo, Nozomi, mas você poderia ficar no lugar dela durante o mês de março?

Nozomi assentiu com desânimo.

Eu não podia admitir aquilo.

Então me levantei. Meu corpo se moveu mais rápido do que minha razão.

– Desculpe me meter.

A sra. Komachi se virou para mim.

– Será que eu poderia me encarregar desse trabalho?

Minha testa transpirava. O que eu estava fazendo?

Nozomi precisava ficar na biblioteca. Ela se empenhava demais em se tornar bibliotecária.

Eu nem sabia direito qual seria o serviço, mas, no fim das contas, eu tinha tempo de sobra.

Sem mover uma sobrancelha, a sra. Komachi apenas sorriu discretamente.

✳ ✳ ✳

No início foi difícil ir quatro vezes por semana ao centro às oito e meia da manhã para substituir a sra. Muroi. Afinal, antes eu ficava acordado até de manhãzinha e, sem ligar o despertador, acabava dormindo até o meio-dia.

Mesmo assim, eu estava desperto no momento em que respirava o ar da rua, após superado o terrível sofrimento de me levantar. Sentia dificuldade em fazer faxina no centro devido à falta de exercícios físicos, mas depois de alguns dias a languidez cotidiana desapareceu. O mais importante e revigorante – algo que havia tempos não acontecia – era que meu trabalho se convertia em dinheiro. E eu já havia decidido desde o início como empregá-lo.

Recepção, limpeza, inserção de dados no computador, prestação de informações sobre os cursos e suporte geral. No andar de cima, onde eu ainda não havia estado, um amplo espaço era reservado para as aulas de dança e os seminários. Eu era capaz de fazer mais tarefas do que imaginei, como faxina e controle de equipamentos.

Parecia que a sra. Komachi havia espalhado aos quatro ventos que eu era desenhista, porque me pediam para fazer as ilustrações do *Jornal do CCH* e cartazes de eventos. A cada elogio que recebia, e sempre que alguém parava diante do cartaz pregado no muro, eu secretamente levantava o punho em sinal de vitória. Era curioso como as crianças adoravam meus desenhos.

O tempo fluía com rapidez no centro. Bem diferente dos bicos que eu havia realizado até então. Eu não era um fracassado; talvez apenas estivesse nos lugares errados. Eu me sentia "útil" no centro, mesmo que apenas um pouco. Isso me trouxe uma enorme sensação de paz. Ali parecia ser o lugar certo.

Muitas pessoas frequentavam o Centro Comunitário. Além dos professores e alunos dos cursos, havia os visitantes dos vários eventos, como as sessões de cromoterapia e as oficinas de artesanato.

Tudo era planejado para que os residentes da comunidade pudessem frequentar o centro com tranquilidade e passar um tempo agradável aprendendo e se divertindo. Um local de reflexão, aprendizado e amplo acolhimento. Proporcionar isso era o maior objetivo das instalações.

Eu me surpreendi ao me dar conta de que era bastante sociável quando conversei com uma senhora frequentadora assídua, ou quando fiz amizade com o menino que vinha acompanhado de sua jovem mãe.

Nos dias em que não trabalhava no escritório, eu lia na biblioteca ou desenhava. Era estranho. As ideias borbulhavam na minha mente, como se um véu que até agora as encobrisse houvesse sido retirado. Elas não haviam aparecido quando eu tinha tempo. Na verdade, eu nem sequer sentia vontade de desenhar.

Passei a conversar sobre vários assuntos com o pessoal do centro, como o senhor de cabelos brancos sempre na recepção. O nome dele era sr. Yoshida, diretor do centro e funcionário da Associação de Instalações para Residentes do Distrito. Essa associação era encarregada de administrar e operar as instalações para residentes do distrito implantadas pelo governo de Tóquio.

Na minha busca por emprego, eu só imaginara como possibilidades empresas e estabelecimentos comerciais. Bem perto de mim havia vários trabalhos que eu desconhecia. Se tivesse procurado melhor, talvez tivesse encontrado um lugar perfeito para mim.

Eu era grato por muitas coisas. Por terem me deixado trabalhar aqui, pelo meu corpo agora saudável e pelo semblante sorridente que os visitantes dirigiam a mim.

E era grato à minha mãe. Mesmo quando me demiti da empresa de material didático, ela não me censurou.

Como eu vivia ocioso em casa, ela me estimulava a sair, mas nunca me forçava.

Certamente as pessoas deviam me julgar um "filho mimado".

Várias vezes me senti desconfortável quando, em funerais ou outras ocasiões, algum parente perguntava sobre o meu trabalho. Essas pessoas não faziam por maldade, e isso era o que mais doía. Porque me fazia lembrar que o entendimento geral da sociedade era de que um adulto que concluiu os estudos deveria estar trabalhando.

Apesar disso, minha mãe não se importava com o olhar alheio e não me pressionava.

Isso certamente não mudaria com o retorno do meu irmão. Eu estava sendo bobo. Era óbvio que ela não tinha nenhuma preferência por ele.

Decidi que iria com ela recepcioná-lo no aeroporto. Nós o saudaríamos com um "bem-vindo de volta".

Quando recebi o meu primeiro salário no centro, coloquei-o em um envelope e o entreguei nas mãos da minha mãe, junto com um pequeno buquê de flores. Foi meu jeito de dizer:

"Desculpe, mãe. E obrigado. Você sempre se preocupou comigo, mas nunca demonstrou."

Ela não aceitou o envelope e, calada, me devolveu. Depois encostou as flores no rosto e começou a chorar.

***

Em abril, a sra. Muroi apareceu no Centro Comunitário para uma visita. Veio acompanhada da filha e do netinho recém-nascido.

– Obrigada de verdade. Você ajudou muito. Todos elogiam seu trabalho, Hiroya!

Ela não parava de falar e atrás dela o bebê no colo da mãe fixava o olhar em mim. No topo da cabeça ainda sem firmeza, fios de cabelo formavam uma espiral. Ele parecia com o Monger. Enquanto eu pensava nisso, a sra. Muroi prosseguiu:

– Ele não é uma gracinha? É o bebê mais maravilhoso do mundo! Para mim não há nenhum outro como ele.

Mesmo após terminado meu período como substituto, continuei trabalhando no centro.

O novo funcionário desse ano foi definido, mas o sr. Yoshida acabou me contratando também.

– Estávamos recrutando não apenas um, mas vários funcionários. Ao ver seu trabalho, decidi que você deveria continuar – comentou.

Não sabia que era possível ser empregado dessa forma, sem redigir um currículo ou ser chamado para uma entrevista. Alguém pode contratar você ao perceber seu empenho na execução de suas funções.

Era um contrato de um ano em meio período. Salário-hora de 1.100 ienes. Era suficiente e eu estava feliz. Trabalhando no centro e desenhando... Vou com calma buscar o meu caminho.

Naquele dia, antes de ir embora, a sra. Muroi declarou:

– Ah, sim. Agora há pouco entreguei à Sayuri uma caixa de Honey Dome. Coma você também, Hiroya.

– Obrigado. A sra. Komachi gosta muito desses biscoitos.

Ela me olhou de esguelha, sorridente.

– Segundo ela, foi graças ao Honey Dome que ela conheceu o marido. Os dois estavam em uma loja e estenderam o braço ao mesmo tempo para pegar uma caixa. Aquele enfeite de cabelo com flores brancas que ela sempre usa parece ter sido um presente de noivado quando ele a pediu em casamento!

Sorri ao pensar na cena.

De alguma forma, cada pessoa tem sua própria história.

* * *

No intervalo do almoço fui até a biblioteca.

Nozomi estava devolvendo livros para as estantes.

– Chegou o livro que você reservou! – disse ela ao notar minha presença.

Era uma enciclopédia de peixes das profundezas dos oceanos. Serviria de material de pesquisa para eu me inscrever em um concurso de ilustrações de uma revista de arte. Eu pretendia dominar um nicho de ilustrações de criaturas grotescas, porém bem-humoradas.

Após um tempo sentado à mesa de leitura com a enciclopédia aberta, o som da sra. Komachi teclando no computador ressoou. *Tatatatatatata*. Pude ver pela metade da divisória ao fundo um senhor com uma pochete na cintura. Certamente estava fazendo uma consulta.

Não pude conter uma risada. Ela era realmente Kenshiro, pensei. Mas o que a sra. Komachi me ensinou foi o oposto dos "cem socos de Hokuto".

Foi algo bem simples.

Em toda a longa história da evolução, a gente está sempre no momento certo. E hoje, finalmente, eu me sinto vivo.

Masao, 65 anos, aposentado

No último dia de setembro, ao completar 65 anos, chegou ao fim a minha vida de assalariado.

Não realizei nada de grandioso, mas também não fiz nada que manchasse meu histórico profissional. Cheguei ao cargo de gerente e, ao longo de 42 anos de trabalho, tive meu esforço reconhecido.

Recebi um buquê de flores sob aplausos e deixei a empresa ao som de felicitações e agradecimentos:

Obrigado pelo ótimo trabalho!
Obrigado por tudo!
Felicidades nessa nova etapa!

Dentro de mim havia um misto de alívio, solidão e a sensação de dever cumprido.

Todos os dias tomava o trem no mesmo horário e sentava à minha mesa para realizar as tarefas que esperavam por mim. Isso ia acabar. Observei o prédio da empresa, fiz uma reverência, me virei e fui embora.

Bem.

Então...

E agora?
Como será minha vida a partir de amanhã?

※ ※ ※

A melhor época para contemplar as cerejeiras estava chegando ao fim. Pretendia ir vê-las no dia seguinte, no parque das redondezas.

Logo depois de pensar isso, mudei de ideia. Já as vi muitas vezes. Melhor deixar para lá.

Todo ano, no primeiro fim de semana de abril, eu corria para ver as flores antes que caíssem, mas este ano as coisas são diferentes. Tive tempo de acompanhar seu progresso, desde o primeiro botão até a plena floração. Pude ir vê-las à tarde, à noite, quanto quisesse.

Quando minha filha Chie era pequena, eu vivia ocupado nos fins de semana e não tinha tempo para ela. A primavera passava sem que pudéssemos ver as flores juntos.

E quando consegui ter mais tempo, minha filha já era independente e morava sozinha havia anos. Mesmo que morássemos juntos, talvez ela não se interessasse em acompanhar o velho pai para ver as flores.

Desde que minha aposentadoria começou, seis meses atrás, entendi três coisas.

A primeira é que aos 65 anos me sinto melhor do que esperava.

Isso foi uma grande surpresa. Não sou o idoso que imaginei quando criança. É lógico que já não sou mais o jovem de antigamente, mas pelo menos ainda não me sinto velho. É como se ainda fosse um homem de meia-idade.

A segunda coisa é que eu não tenho nenhum tipo de passatempo.

Aprecio algumas coisas e as espero com ansiedade. Por exemplo, uma cerveja no jantar ou uma série de época na tevê aos domingos. Mas são apenas momentos do cotidiano e não passatempos. Eu não tenho nada que me entusiasme, não produzo nada nem me dedico a algo apaixonadamente.

E a última coisa...

Depois de me aposentar, passei a não ser mais reconhecido pela sociedade.

Como atuei por muitos anos na área comercial, conversar com as pessoas fazia parte da minha vida. Talvez isso tenha me dado a falsa impressão de que eu tinha muitos amigos.

Fiquei surpreso ao ver que não tinha recebido presentes ou cartões no Ano-Novo e que não tinha com quem sair para tomar um café. Todos os meus "relacionamentos" até então foram apenas profissionais. Nesse meio ano, minha existência na empresa em que trabalhava devia estar aos poucos se esvanecendo da memória de meus colegas. Apesar de ter trabalhado nela por pouco mais de quatro décadas.

Minha esposa, Yoriko, chegou do trabalho quando eu assistia à tevê distraído. Percorreu com o olhar o cômodo e, murmurando, caminhou até a varanda.

– Ah, Masao. Eu não disse para você colocar a roupa lavada para dentro?

Xi, eu me esqueci.

Yoriko não se zangou.

– Que cabeça de vento – disse ela como se ralhasse com uma criança, abrindo depois a porta da varanda e calçando suas sandálias.

– Desculpe.

Peguei a roupa que ela tirou do varal e a trouxe para dentro. Estavam secas e um aroma de roupa estendida no sol recendia delas.

Nunca havia feito trabalhos domésticos nem estava acostumado a ajudar em casa, por isso acabava me esquecendo. Se continuasse ocioso, talvez meu corpo e minha mente se degenerassem e minha memória piorasse progressivamente. As brincadeiras da minha generosa esposa sobre o meu esquecimento talvez logo cessassem. Bem, pelo seu jeito de falar, ela já devia ter desistido de ficar chateada comigo.

Eu me empenhava em tirar os pregadores das roupas e dobrá-las. No entanto, sem saber direito como dobrar as meias e roupas de baixo, dobrava apenas as toalhas.

– Ah, ia me esquecendo...

Yoriko tirou um papel da bolsa.

Na parte superior da folha, em letras bem grandes, estava escrito "Curso de Jogo de *Go*".

– Lembra que comentei com você sobre o Yakita, um de meus alunos? Ele disse que vai dar aulas de *go* no Centro Comunitário a partir de abril. Achei que você poderia se interessar.

– Yakita? Ah, o senhor que está criando um site sobre flores silvestres?

– Ele mesmo. É preciso pagar uma mensalidade, e caso você queira começar agora, ele disse que em abril você pode pagar apenas o equivalente a duas aulas porque já estamos na metade do mês.

Yoriko dá aulas de informática.

Ela trabalhou até os 40 anos como engenheira de sistemas em uma empresa de TI. Depois disso começou a atuar como autônoma. Ela se inscreveu em uma associação que a chama para aulas e cursos. Nesse lugar, denominado Centro Comunitário, ela dá aula toda quarta-feira. Não entendo nada de computadores, mas estar capacitado nessa área é muito importante hoje em dia. E para ela não existe essa coisa de aposentadoria.

– O centro fica a uns dez minutos a pé de casa. Você sabe, é o prédio anexo à escola primária Hatori.

– Jogo de *go*? Nunca experimentei.

– Mais um motivo para tentar. É interessante aprender do zero – retrucou Yoriko de pé na cozinha, colocando seu avental.

Ela tem 56 anos. Como há uma diferença de nove anos entre nós, quando casamos as pessoas comentavam que eu tinha uma "jovem esposa". Com o passar do tempo, elas pararam de dizer isso, mas Yoriko ainda se considera assim. Na realidade, ela continua ativa, de forma vibrante e juvenil. Nesses últimos tempos, o brilho de uma mulher na casa dos 50 que trabalha com empenho é encantador.

Jogo de go?, refleti com o folheto na mão.

Quem sabe não se torna meu passatempo? Não há nada de muito desafiador, mas tudo bem. E o meu cérebro pode se exercitar um pouco.

Segundas às onze horas. Olhei o calendário com várias anotações. Todos os compromissos eram de Yoriko, nenhum meu.

✳ ✳ ✳

Segunda-feira de manhã me dirigi ao Centro Comunitário.

Apesar de saber onde fica a escola primária Hatori, seu portão estava fechado. Acionei o interfone.

– Sim? – ouvi uma voz feminina.

– Com licença, eu vim para a aula de *go*.

– Como?

– A aula de *go* do Centro Comunitário.

– Ah.

A moça devia trabalhar na escola. Como a entrada do centro era outra, ela me orientou a contornar o muro e olhar as placas indicativas até a porta da frente.

Então era isso? Dizem que o centro é anexo à escola, mas é apenas vizinho a ela. Prossegui pelo caminho ao longo do muro até encontrar uma placa com uma seta onde se lia "Centro Comunitário nesta direção".

Depois de passar por um corredor estreito, um prédio branco, separado do pátio da escola por uma grade, surgiu.

Abri a porta e logo à direita ficava a recepção. No fundo do balcão havia um escritório. Um rapaz de camisa verde estava voltado para o computador.

Um homem percebeu minha presença e veio até mim. Tinha uma vasta cabeleira branca.

– Por favor, preencha aqui.

Era preciso escrever na lista sobre o balcão o nome, o propósito da visita e o horário de entrada. Peguei uma caneta.

– Nossa, eu me perdi! Minha esposa explicou que o centro era um anexo da escola primária e imaginei que ambos estivessem no mesmo terreno.

O homem riu.

– Antigamente este prédio era ligado ao da escola. Agora, por segurança, não é possível o deslocamento entre eles.

– É mesmo?

– A princípio, este espaço foi aberto com o propósito de aprofundar a convivência entre as crianças da escola primária e os residentes locais. Mas agora há muita insegurança. É preciso proteger as crianças e por isso o portão da escola é trancado à chave. Muitos alunos da escola Hatori se formam sem nunca terem posto os pés aqui.

– Entendi – falei, escrevendo meu nome.

Masao Gonno.

Ninguém mais diz meu nome em voz alta. A última vez foi quando fui ao dentista no mês passado.

As aulas de *go* aconteciam na sala em estilo tradicional japonês. Tirei os sapatos e pisei no tatame.

Algumas pessoas estavam jogando, cara a cara. Um idoso de rosto retangular estava sentado sozinho ao fundo.

– Sr. Gonno? – perguntou ele ao me ver.

Era o professor Yakita. Eu sabia que ele tinha 75 anos, mas sua pele estava radiante e ele, cheio de energia.

– Bem-vindo. Sua esposa me falou do senhor!

– Obrigado pelo suporte que o senhor dá a ela.

– De forma alguma. Ela que me presta um grande apoio.

Havia tempos eu não estabelecia um diálogo salpicado de expressões tão formais ao conversar com alguém.

O professor Yakita instalou o tabuleiro de *go* e, de início, me ensinou a disposição das pedras. Onde colocá-las. A ordem. Como definir qual jogador faria o primeiro lance. Ele explicou as regras mais básicas.

Eu ouvia tudo com atenção, até que ele de repente falou:

– Sua esposa é formidável.

Ergui a cabeça, espantado.

– Sabe, eu o invejo. A professora Gonno é trabalhadora, inteligente, perspicaz. Bem, eu já estou farto de casamento.

Isso significava que ele se divorciara e estava sozinho? Sem saber como responder, soltei apenas um "Ah" e continuei a olhar as pedras do jogo. Yakita desandou a falar:

– É o que chamam de divórcio tardio, cada vez mais comum. Sabe, quando eu era assalariado, mesmo discutindo de manhã com minha esposa, eu ia trabalhar e na volta, na maioria das vezes, a rusga havia se tornado vaga ou até terminado. Quando comecei a ficar direto em casa e tínhamos mais tempo juntos, não conseguíamos nos entender. Mesmo assim, vivemos juntos por longos anos. Era minha alma gêmea.

– Ah...

– Quando chegam a certa idade, de uma hora para outra, as mulheres não conseguem aceitar mais as coisas que até então suportavam. No final do nosso relacionamento, ela não conseguia tolerar as meias estampadas que eu usava. Ela achava todas de mau gosto e ridicularizava minhas escolhas.

O professor falava pelos cotovelos. Ouvi-lo narrar sua vida devia ser um rito de passagem para os iniciantes no seu curso. Espiei discretamente suas meias com estampa de escamas de peixe, e era uma pena imaginar que seu divórcio tivesse sido motivado por algo tão insignificante. Ele prosseguiu enquanto eu sorria tenso:

– Foi uma baita surpresa para mim quando ela pediu o divórcio, mas felizmente eu tinha o *go*, que jogava desde meus 10 anos, e muitas coisas que desejava fazer, como jardinagem e cultivo de plantas silvestres. Maneiras de aproveitar a vida não faltavam. Bem, ambos voltamos a ficar solteiros e eu decidi desfrutar minha vida sozinho. Foi melhor assim, no final das contas.

Era assim então. Mesmo envelhecendo, se desligando da empresa, se divorciando e ficando só, era possível viver animado e feliz como aquele homem, desde que se faça algo de que se goste. Ele se ocupava ensinando *go*, talvez pertencesse a alguma associação e também atuava na área de plantas. Devia reunir pessoas graças ao seu site, que estava aprendendo a criar nas aulas de Yoriko.

– Minha esposa começou a mudar seis meses depois de eu me aposentar. Está na hora de você também tomar cuidado – murmurou ele como se me transmitisse algo mais importante do que as regras do jogo.

***

A aula chegou ao fim.

Go era mais complexo do que imaginei. Tudo avançava apenas com as explicações verbais do professor Yakita e, sem um papel para tomar notas, não consegui memorizar nada.

Depois da aula de hoje até pensei em desistir, mas eu havia pago antecipado as duas aulas de abril. Seria um dinheiro jogado fora se eu não fosse mais uma vez.

Ao sair da sala, um rapaz passou diante de mim. Era o jovem de camisa verde que estava no computador no escritório. Ao acompanhá-lo com o olhar, percebi uma sala ao fundo com uma placa acima da porta escrito "Biblioteca", onde ele entrou.

Então havia uma biblioteca ali!

Talvez eles tivessem livros de *go*. Não custava dar uma espiada.

Segui os passos do rapaz e entrei na biblioteca.

Era um espaço simples, mas com as paredes cobertas de estantes repletas de livros até não caber mais. Não havia nenhum visitante, somente o rapaz de camisa verde e uma moça de avental azul-escuro com quem ele conversava.

Onde ficariam os livros de *go*? Enquanto eu esquadrinhava os arredores, a moça de avental passou carregando alguns livros. No crachá em seu peito estava escrito Nozomi Morinaga.

– Com licença. Estou procurando livros de *go*...

Ao ouvir minha voz, a moça se virou na minha direção como um girassol e abriu um sorriso.

– Ficam aqui – e apontou uma estante do outro lado.

Na estante onde se lia "Lazer" havia livros de *go* e *shogi*. Mais do que eu imaginaria.

– Nossa, quantos!

– É difícil escolher entre eles, não é? Não dá pra saber por onde começar – disse Nozomi enquanto eu olhava a estante.

Ela tentava compreender o sentimento do visitante. É uma boa funcionária.

– Eu também nunca joguei *go*, mas temos uma bibliotecária que pode lhe indicar um bom livro.

Não era nada de tão importante a ponto de perguntar à bibliotecária, mas uma vez que Nozomi sugeriu não custava ir até ela.

Ao fundo estava pendurada no teto uma placa: "Seção de Consultas". Fui até lá e olhei para trás do anteparo que servia também como mural de avisos.

A bibliotecária estava afundada numa cadeira, escondida atrás do anteparo.

Era uma senhora de meia-idade, obesa e muito branca, com a pele quase transparente. Usava nos cabelos um coque com um grampo de enfeite de flores brancas cravado nele.

Parecendo não ter notado minha presença, ela continuava de cabeça baixa movimentando as mãos. Olhando bem, ela espetava sem parar uma agulha em algo semelhante a um tufo de lã. Tinha uma expressão zangada que lhe dava ares de ser inacessível.

Bem, não havia necessidade de perguntar nada a ela. Bastaria eu mesmo escolher um livro que me agradasse.

Logo após ter pensado em me afastar discretamente, vi ao lado dela uma caixinha de cor laranja-escura que eu conhecia bem.

Dentro dela não havia biscoitos, mas agulhas e uma tesoura. Devia ser usada para guardar material de costura.

Na tampa, reconheci o desenho das bordas hexagonais no formato de colmeia, a flor branca de acácia ao centro. Era a caixa de biscoitos Honey Dome, da Kuremiyado, a empresa em que trabalhei por longos anos.

De repente a bibliotecária ergueu o rosto.

– O que o senhor procura?

O que eu procuro?

Sua voz inesperadamente tranquila e solene ressoou até o fundo de mim.

O que eu estaria procurando? O que fazer daqui em diante... com o resto da minha vida?

A bibliotecária não parava de me encarar. Sua expressão parecia zangada, mas, ao encontrar meus olhos, transmitia a mesma sensação de serena misericórdia das estátuas da deusa Kannon.

– Apenas um livro sobre o jogo de *go*. Comecei a aprender hoje e estou achando bem difícil – respondi, cauteloso.

A bibliotecária inclinou a cabeça, fazendo soar um estalido. No crachá em seu peito lia-se Sayuri Komachi. Ela guardou a agulha e a bola de lã na caixa e a fechou.

– *Go* é um jogo complexo, não é mesmo? Não é o tipo de jogo de capturar pedras do adversário. Ele nos leva a refletir sobre a vida e a morte. Cada partida é um drama em si!

– Nossa, é tão sério assim?

Pelo visto não é nem um pouco divertido. Lazer e passatempos não deveriam nos deixar felizes e relaxados?

– Bem, então não deve combinar comigo – falei, coçando a cabeça, e mudei de assunto. – A senhora gosta deles? – Apontei para a caixa.

– Ahã – respondeu ela.

– É o Honey Dome, da Kuremiyado. Trabalhei lá até o ano passado.

De súbito, ela abriu seus olhos estreitos e inspirou ruidosamente. E, como possuída por um espírito, abriu um sorriso e começou a cantar, com o olhar desfocado:

Do, do, do, do
Doce para você. Doce para mim.
Do, do, do, do
Honey Dome.
É da Kuremiyado.

Há uns trinta anos esse tem sido o jingle dos comerciais dos biscoitos Honey Dome.

Ela o cantou baixinho. E numa voz de falsete que ninguém imaginaria sair de uma mulher com um corpanzil como o dela. "Doooooome." Ela enfatizava apenas o "Do" de "Honey Dome". Parecia se divertir bastante, como uma criança pequena.

De início, me espantei por ter sido tão repentino, mas logo fiquei contente e quase me emocionei.

Ao terminar de cantar, ela voltou a exibir um semblante sério como se tivesse retornado ao seu eu de sempre.

– Esse "do, do" está ligado ao "do" de "doce", "Dome" e "Kuremiyado", não? E quem sabe à nota musical dó?

– Você acertou na mosca... – respondi.

Essa é a frase principal usada no comercial, mas na realidade a música é bem mais longa. Tem até uma parte em inglês no final. Ela fala sobre o desejo de agradar a todos, independentemente da idade, do gênero ou da nacionalidade.

Komachi abaixou a cabeça em deferência.

– Obrigada por esse doce maravilhoso.

– Que é isso. Eu não o fabricava – falei, sorrindo com amargura.

Realmente não era eu quem fazia os biscoitos. No entanto, eu os recomendava a todos como se fossem meus, apenas por trabalhar na Kuremiyado. Antigamente, e ainda hoje, me alegro quando alguém os elogia.

Mas não trabalho mais lá...

– Já me aposentei da empresa – falei, sem que ela tivesse perguntado nada.

Senti meu coração apertar só em dizer isso. Komachi me olhou. Seu ar terno me fazia sentir nela uma capacidade generosa de acolhimento.

Desde muito tempo eu desejava alguém que me ouvisse de verdade. Essa mulher doce, de pele alva, diante de mim... Talvez seja uma maneira desrespeitosa de falar, mas senti vontade de abrir meu coração para ela, que parecia isolada das pessoas.

– Um trabalhador como eu se sente excluído da sociedade ao se aposentar. Quando trabalhava, eu ansiava por mais tempo para mim, mas na realidade, agora que tenho esse tempo, não sei o que fazer com ele. Não vejo sentido no resto da minha vida.

– O que é esse "resto"? – indagou ela, sem mover as sobrancelhas um milímetro sequer.

Eu me pergunto o mesmo.

– O excesso, talvez. O que sobra? – respondi num tom autodepreciativo, e Komachi inclinou a cabeça para o lado oposto com outro estalido.

– Por exemplo, digamos que eu comi dez cookies de uma caixa contendo doze – disse ela.

– Como?

– Nesse caso, os dois que estão na caixa são "o excesso"? São "o resto"?

Percebi que a pergunta lançada pela bibliotecária tocava um ponto sensível. No entanto, me vi incapaz de exprimir em palavras uma boa resposta.

Enquanto eu permanecia calado, ela alongou as costas e se ajeitou na cadeira diante do computador. Como se fosse começar a tocar piano, pôs as mãos docemente sobre o teclado. E...

Tatatatatatatatatatata. Digitou a uma velocidade impressionante. Era estranho como ela era capaz de mover seus dedos carnudos com tanta agilidade. Eu contemplava a cena boquiaberto quando ela bateu uma última vez numa tecla. De repente, a impressora começou a fazer barulho e uma folha saiu dela.

Nessa folha que eu recebi constava uma lista com o título de alguns livros, o nome dos autores e o número da estante.

Go básico: defesa e ataque, Go para iniciantes, Dominando o go na prática: curso elementar.

E por último havia este título: *Astrágalos e sapos.*

Ao lado do título, entre parênteses, havia escrito *Poemas infantis – tomo vinte.* Seu autor era Shimpei Kusano.

Poemas? Sem dúvida Shimpei Kusano era um poeta.

No entanto, por que esse livro? Que relação teria com o *go*? Enquanto eu estava com os olhos grudados na folha, Komachi estendeu a mão para um gabinete de madeira sob o balcão. Abriu a última gaveta e com um ruído tirou algo de dentro.

– Tome. É para o senhor.

Ela dirigiu em minha direção o punho fechado. Colocou na minha mão aberta um quadrado de lã vermelha com um par de pinças.

– É um caranguejo?

– Um brinde.

– Brinde?

– Sim, junto com os livros.

– Ah...

Eu não entendi bem. Sapos e caranguejos quando o que eu queria eram livros sobre *go*?

Eu olhava para o caranguejo com suas patas dobradas de forma bem realista.

– Se chama feltragem com agulha. Pode ser feita em qualquer formato ou tamanho. Seja como for, as possibilidades são ilimitadas.

Então era feltragem com agulha. Eu a invejava por ela ter um passatempo.

– Isso também é trabalho. Um trabalho manual – disse ela.

– Como?

Quando reergui o rosto tentando entender o significado de suas palavras, Komachi abriu de súbito a caixa de Honey Dome. Retirou de dentro uma agulha e uma bola de lã e, cabisbaixa, voltou com diligência ao seu trabalho. Pela atmosfera que se criou parecia imperdoável que eu lhe dirigisse a palavra além daquele ponto, como se ela tivesse erguido uma barreira para impedir a aproximação das pessoas. Sem alternativa, enfiei o caranguejo na minha pochete e com a folha em mãos me dirigi às estantes.

* * *

Peguei emprestados todos os livros que Komachi recomendou. Terminado o jantar, os levei para o cômodo que antigamente era usado pela minha filha. Agora que ela se mudou, o cômodo se tornou um espaço comum da família, metade dele ocupado com objetos dela, a outra servindo de depósito.

Comprei este apartamento quando tinha 35 anos. Ele era novo na época, mas agora está mostrando sinais da idade. Como quase não recebemos visitas, os pontos menos problemáticos acabam ficando como estão: há manchas nas paredes, dobradiças rangendo, essas coisas.

Além desse cômodo há o quarto principal e o que Yoriko usa como escritório, onde não ouso colocar os pés.

Pus os livros sobre a escrivaninha que compramos quando Chie estava na escola.

Folheei os livros de *go*. Apesar de serem exatamente o que eu precisava, nenhum me deu vontade de ler. Não pareciam ser interessantes.

O único que me chamou a atenção foi aquele que parecia ter sido emprestado por engano.

Astrágalos e sapos.

Três sapos de semblante despreocupado. Um rio fluindo bem no meio, com manchas rosadas se destacando nas margens, possivelmente cerejeiras. É um desenho alegre, pintado com lápis de cor, perfeito para as crianças.

Eu o abri e, ao virar as páginas, havia um prefácio intitulado "Encontros com a poesia".

O prefácio não foi escrito pelo autor, mas por Takashi Sawa, editor da obra. Sendo parte de uma série de livros voltados a crianças, o texto era de fácil compreensão, mas ainda assim transmitia sua paixão por Shimpei Kusano e sua poesia.

O editor recomendava àqueles que se deparassem com uma boa poesia a copiá-la, toda ou em parte, em um caderno ou outro local. Assim, seria possível criar sua própria antologia de poemas.

Nossas emoções se aprofundam quando entramos em contato com o coração e a maneira de viver de um poeta. É como se, de certa forma, entrássemos na vida dele e sentíssemos como ele.

Sentir como um poeta era um exagero. Balancei a cabeça, em dúvida.

Se você sentir vontade de escrever poesia, por favor, siga em frente.

– Nem pensar – falei para mim mesmo, com um riso desdenhoso.

Mas acho que poderia copiar os poemas. Só se for apenas uma parte, como ele mencionou. E a palavra *antologia* soava bem. Deveria ser mais fácil do que aprender *go*, e a atividade intelectual me interessava.

Eu tinha um caderno? Abri a gaveta da mesa. Às pressas procurei no interior e encontrei um velho caderno pautado. Nas duas primeiras páginas havia algumas frases curtas em inglês. Na minha letra.

Então lembrei. Há uns vinte anos decidi aprender inglês ouvindo as aulas da estação de rádio NHK. Eu tinha vontade de aprender coisas novas. Senti que poderia ser útil no meu trabalho e talvez quisesse tornar o aprendizado um hobby. No entanto, desisti, porque achava impossível aprender um idioma depois dos 40. Se tivesse estudado, mesmo que apenas uma página por dia, agora eu seria fluente em inglês.

As páginas restantes do caderno não seriam mais preenchidas com isso. Rasguei e joguei fora as páginas escritas e, assim, consegui um caderno em branco.

Li uns três poemas. Com uma caneta que encontrei na gaveta copiei o primeiro deles, "Canção da primavera".

Oh, que luminosidade.
Oh, que felicidade.
A água flui suave.
Uma leve brisa sopra.
Croac, croac.
Ah, que aroma agradável.

O poema continuava, mas repousei a caneta nesse ponto.
O "croac, croac", repetido quatro vezes ao longo do poema, devia representar o coaxar do sapo. Criava um ritmo bom.
Por um tempo, eu me concentrei na leitura desse livro de poemas.
Imaginei que todos os poemas tivessem o tom leve e alegre de "Canção da primavera", mas havia alguns tristes e sombrios.
Adiante me deparei com um poema estranho, intitulado "Kajika".

Kikikikikikikiki
kiirukiirukiirukiirukiiru.

O poema começava com uma impressionante sonoridade. Conforme eu o copiava, o mistério se aprofundava.
Que som seria aquele? Kajika seria um bagre, um peixe? Mas também podia ser um cervo...
Era impossível saber, porque não havia explicação. Além disso, somente pelas expressões "a noite encurralada na divisa" ou "pulsação das guelras" presentes no poema não dava para entender a que o poeta se referia.
Eu escrevi até o "kikikikikikikiki" e desisti do resto.
A compreensão de um poema não é nada fácil. Talvez seja ainda mais difícil do que memorizar as regras do *go*. Fechei o caderno.

✳ ✳ ✳

Na tarde do dia seguinte, eu e Yoriko saímos juntos de casa.

Fomos ao centro comercial Éden, um lugar pouco familiar para mim. Segundo Yoriko me contou, uma de suas alunas das aulas de informática lhe disse recentemente que é vendedora de roupas femininas ali. Minha esposa tem carteira de motorista mas pouca experiência atrás do volante, por isso me pediu para levá-la de carro, já que era longe demais para ir a pé. Não havia motivo para eu recusar.

Fomos em direção ao estacionamento do nosso prédio.

– Oi, Ebigawa.

Yoriko cumprimentou o zelador, que arrancava ervas daninhas da sebe de arbustos. Ele se virou para nos olhar. É um homem idoso, de rosto comprido, que substituíra havia pouco tempo o zelador anterior.

Yoriko baixou gentilmente a cabeça.

– Obrigada pela sua orientação. Fiz a limpeza como o senhor aconselhou e os freios estão funcionando bem, agora.

Na semana passada, quando Yoriko o encontrou no bicicletário do prédio, comentou que os freios de sua bicicleta não estavam funcionando bem e ele parece ter lhe dito que talvez melhorassem se ela lavasse uma peça chamada sapata do freio com sabão neutro.

– Imagina. Que bom que o problema foi resolvido. Já tive uma loja de bicicletas – disse ele sorridente, continuando a arrancar as ervas daninhas.

Apesar de econômico nas palavras, ele não era uma pessoa antipática.

– Quando o Ebigawa não está trabalhando, parece outra pessoa. Talvez porque esteja com roupas comuns e sempre com um gorro de lã chique – disse Yoriko após sairmos do prédio.

– Outra pessoa?

– É. Como posso dizer? Com jeito de eremita? Alguém isolado do mundo. Mas de uniforme, sentado na portaria, é apenas um zelador como qualquer outro.

Chegamos ao Éden e, depois de parar o carro no estacionamento, Yoriko me levou até a seção de roupas femininas no primeiro andar.

– Tomoka!

Ao ser chamada, a vendedora olhou para Yoriko com o semblante sorridente.

– Professora Gonno! Que bom ver a senhora. Seja bem-vinda.

– Eu não disse que viria? Deixa eu te apresentar meu marido, Masao.

Tomoka juntou as mãos à altura do ventre e executou uma reverência delicada.

– Muito prazer. Tenho aprendido muito com sua esposa.

– O prazer é meu. Obrigado por ser aluna dela.

Usei um linguajar formal, como fizera com o professor Yakita.

Meus contatos com a sociedade estão limitados aos intermediados por Yoriko.

Minha esposa começou a escolher roupas. Sem nada para fazer, espiei as blusas e saias ao redor.

Tomoka devia ter por volta de 20 anos. Uma moça de boa aparência e cheia de vivacidade. Senti o entusiasmo dela pelo trabalho.

– Posso experimentar este? – indagou Yoriko, segurando um vestido.

– Sim, claro – respondeu Tomoka, abrindo a cortina do provador.

Quando ficamos a sós, a vendedora puxou conversa.

– Adoro ver um casal fazendo compras junto. Vocês devem se entender bem.

– Na realidade, agora que passo muito tempo em casa devo

ser um transtorno para ela. Sou uma negação em tarefas domésticas. E, por mais que tente, sou um fracasso na cozinha.

Ela se pôs a refletir por um breve momento antes de exibir um lindo sorriso.

– Que tal preparar onigiri para ela?

– Onigiri? Mas é uma coisa tão simples.

– Ela vai adorar. O onigiri preparado por um homem é mais gostoso porque o arroz fica mais prensado. Deve ser uma questão da força da pressão e do tamanho das mãos. Sua esposa vai ficar radiante.

– Será que vai mesmo? – repliquei, empolgado com a ideia. – Seu namorado prepara onigiri para você?

Tomoka enrubesceu, mas não negou.

* * *

Yoriko comprou o vestido que havia provado e uma camiseta com estampa de gato antes de me arrastar para o setor de alimentação.

– Vamos comprar um acompanhamento para o jantar hoje à noite.

Ela estava com vontade de comer sashimi e foi até a peixaria.

Ao lado do congelador com porta de vidro onde estavam os cortes de peixe e os mexilhões, havia uma pequena mesa com um aquário quadrado de plástico transparente. Percebi algo se movendo. Olhando bem, havia caranguejos de água doce dentro.

Olhei-os com atenção, me lembrando do caranguejo de feltro que tinha recebido de brinde da bibliotecária.

Devia haver uns cinquenta ou sessenta deles. Submersos em pouca quantidade de água, eles se apertavam uns contra os outros. Um deles movia as pinças ligadas ao corpo achatado como se me enviasse algum tipo de sinal.

Ao erguer os olhos, levei um susto.

Em uma placa de isopor estava escrito em grandes letras vermelhas "Caranguejo de água doce", e abaixo delas, em letras pretas, um pouco menores: "Para fritura! Para ser seu animal de estimação!"

Animal de estimação?

Ali era o setor de alimentação. Aqueles caranguejos deveriam estar sendo vendidos como alimento. Fiquei atordoado quando lembrei que havia a opção de adotar um deles como "pet".

Ou você os devora ou os ama.

Os caranguejos ali estavam em uma encruzilhada de caminhos opostos.

Senti minha garganta apertar ao imaginar o destino daqueles caranguejos dentro do aquário de plástico.

Quem era eu perante minha empresa? Enquanto estava dentro da caixa, todos me bajulavam como gerente-geral, mas por fim acabei devorado pela organização corporativa.

Examinando os sashimis, Yoriko se virou para mim.

– Qual você prefere, carapau ou cavala? Ou quem sabe caranguejos?

Yoriko os observou com profundo interesse.

– De jeito nenhum – afirmei com uma voz embargada. – Nem pensar, ainda estão vivos. Não vamos comê-los.

– Então que tal criá-los? – perguntou Yoriko em tom de brincadeira.

Hesitei.

Os caranguejos estariam felizes vivendo confinados em um aquário tão apertado? Não prefeririam estar enredados no torvelinho da cadeia alimentar? Ou esse seria apenas um pensamento racional da minha mente humana?

Nesse tempo em que eu me mantinha calado, Yoriko recebeu uma mensagem no celular.

– É da Chie – disse ela com voz alegre enquanto mexia no telefone. – O livro que eu encomendei chegou. Vamos até lá! Se ela estiver trabalhando no turno da manhã, deve sair por volta das quatro e podemos jantar juntos.

Isso serviu para me animar um pouco. Antes de partir, olhei de novo para os caranguejos e rezei pela felicidade deles. Embora eu não soubesse bem em que ela consistia.

✳ ✳ ✳

Chie, nossa única filha, trabalha em uma livraria em frente à estação de trem. A cadeia de livrarias Meishin.

Chie tem 27 anos e é solteira. Ela começou a trabalhar lá logo depois de se formar na faculdade. Aproveitou para alugar um apartamento e morar sozinha.

Yoriko sempre parecia arranjar um pretexto para aparecer na livraria, mas eu raramente visitava Chie. Como pai, eu me sentia um pouco constrangido de ir bisbilhotar o local de trabalho da minha filha.

Quando chegamos, vimos Chie atendendo uma cliente em frente à estante de livros de bolso. A senhora idosa parecia estar perguntando algo. Eu e Yoriko as observamos por um tempo, de longe. Chie tinha um semblante que não costumava mostrar em casa. Um sorriso doce e ao mesmo tempo firme e tranquilo.

A senhora assentiu, parecendo ter se convencido de algo e, com o livro na mão, fez uma saudação e se dirigiu ao caixa. Chie se despediu dela com o rosto sorridente antes de perceber nossa presença.

Ela usava um avental verde-escuro sobre uma blusa de gola branca. Não há exatamente um uniforme, mas um padrão de vestimenta. Combina bem com seus cabelos curtos e bem penteados.

Quando nos aproximamos, ela apontou para uma estante.

– Fui eu que escrevi a resenha deste livro! Ao lado da fileira de livros com suas capas bem à mostra estava colada uma ficha do tamanho de um cartão-postal. Nela constava o título do livro e um pequeno texto destacando os seus pontos mais interessantes.

– Parabéns, querida! – disse minha esposa, provocando em Chie uma expressão de orgulho.

– As recomendações de livros são importantes! Ajudam a alavancar as vendas. Alguns clientes tomam conhecimento de um livro e se interessam por ele graças a elas!

Deve ser assim mesmo. Eu me lembrei dos caranguejos que vi no centro comercial. Se não fosse pelo que estava escrito na placa de isopor, eu não teria refletido sobre o destino deles.

– A que horas você sai? Se estiver no turno da manhã, podemos ir jantar juntos – propôs Yoriko.

– Ah... – Chie balançou a cabeça. – Hoje eu estou no turno da tarde. E também tenho que preparar um evento.

O trabalho em uma livraria exige esforço físico. É preciso passar muito tempo de pé, os livros são pesados e passa-se o dia ocupado em atender todo tipo de demandas de clientes. Yoriko comentou que uma colega de Chie teve que ser internada com problemas lombares. Fico preocupado com nossa filha.

– É muito puxado. Você tem que cuidar da sua saúde!

– Não se preocupe. Amanhã é minha folga – respondeu ela, com boa disposição e ar feliz.

Folga.

Falando nisso, eu entendi mais uma coisa depois de me aposentar.

Não estar trabalhando significava não ter férias. Os dias de descanso surgem em função do trabalho. Eu não tinha mais a possibilidade de desfrutar a sensação de liberdade na véspera de um dia de folga.

Chie virou o rosto na direção da mãe.
– Você veio buscar seu livro?
– Isso. Ah, e também uma revista. Espere, vou pegá-la.
Yoriko foi até a seção de revistas. Pensei que eu deveria comprar algo também, mas não me lembrava de nenhum livro que queria.
– Onde ficam os livros de poesia? – perguntei de repente.
Surpresa, Chie arregalou os olhos.
– Poesia? De quem, por exemplo?
– Shimpei Kusano.
Ela sorriu com candura.
– Ah, eu também gosto muito dele. Tinha um poema dele no livro didático na escola. Acho que o título era "Croac, croac".
– "Canção da primavera".
– Isso, isso. Nossa, pai, você conhece bem.
Sentindo-me melhor, eu a acompanhei.
Ela me mostrou a seção de livros infantis e eu vi *Astrágalos e sapos*. Eu o peguei, folheei e perguntei a Chie:
– Você sabe dizer o que significa esse "kajika"?
– Não é um sapo? O sapo kajika, um anfíbio sem cauda.
Fantástico. O enigma foi solucionado num piscar de olhos. Kajika era outra espécie de sapo.
– Na escola, a professora nos incentivou a ler outros poemas do Shimpei Kusano. Por isso eu sabia sobre esse sapo. Os "astrágalos" do título são plantas, não?
– Então é isso! Seja como for, os poemas dele às vezes são incompreensíveis para mim.
– Mesmo não compreendendo, o importante na poesia é sentir sua atmosfera, sem refletir muito. Cada um entende e sente um poema de um jeito.
Yoriko chegou trazendo uma revista feminina grossa. Devolvi o livro à estante.

– Pronto, é esta aqui. Na realidade, eu quero mesmo é a bolsa que vem de brinde com a revista.

A revista parecia grossa porque tinha o brinde dentro. Falando nisso, onde mesmo eu tinha colocado o "brinde" de Komachi? Abri minha pochete. Vi o caranguejo dentro.

– Ah, que bonitinho, um caranguejo! – exclamou Chie.

Por algum motivo, enrubesci.

– Quer para você?

– Quero.

Quando lhe entreguei, ela o colocou na palma da mão toda sorridente. Meu coração de repente se enterneceu. Alegrar-se com algo tão banal mostrava que sua criança interior ainda estava lá.

Por fim, eu e Yoriko jantamos em um restaurante e voltamos para casa. Logo que chegamos, abri o *Astrágalos e sapos*.

Sabendo agora que "kajika" é uma espécie de sapo, meu interesse despertou.

Quem diria? As onomatopeias no poema representavam de fato o coaxar do sapo.

Fazia muito sentido que "croac, croac" fosse seu regozijo pela chegada da primavera.

O que eu não entendia bem era a "divisa" ou a "pulsação das guelras", mas consegui imaginar o gotejar da água na escuridão noturna. A sensação de alguma coisa, o mundo talvez, brilhando em um movimento de abrir e fechar. E em algum lugar ressoa o coaxar estranho e melancolicamente dilacerante de um sapo.

Seria isso o que chamam de "apreciação de poesia"? É divertido. Talvez eu tenha algum talento nessa área.

Fui passando as páginas até meus olhos pararem em um poema.

Seu título era "A janela". Um poema longo, algo raro se comparado aos demais do livro.

Ondas vêm,
Ondas vão,
Ondas lambem os envelhecidos muros de pedra.
Na enseada sem sol,
Ondas vêm,
Ondas vão.
Tamancos, fiapos de palha,
Rastros de óleo.

Tamancos, fiapos de palha, óleo... Deve ser a cena do lixo que os seres humanos atiram e se acumula na enseada sem sol.

No restante do poema, "Ondas vêm, ondas vão" se repete diversas vezes. Realmente faz o leitor sentir o movimento delas.

As ondas se aproximam e se afastam desde o alto-mar até a enseada diante dos olhos. Meu pensamento vagueia na grandiosa paisagem marinha. Ondas vêm, ondas vão.

Porém...

Por que o título do poema é "A janela"?

Apenas a paisagem das ondas é descrita, mas mesmo assim o título não é "As ondas", mas "A janela".

O poema prosseguia. Na segunda parte não havia apenas a paisagem das ondas, mas surgiam palavras como "amor, ódio, vício".

Li com atenção cada palavra desse poema até o fim. E o copiei no caderno, inteirinho, ocupando três páginas. Eu o li inúmeras vezes, devorando-o com os olhos.

* * *

Segunda-feira seguinte.

Estava sem vontade de ir à aula de *go*, mas não queria desperdiçar o dinheiro já pago por ela. Eu me preparei para sair, decidido a ir apenas essa última vez.

Yoriko comentara que o gorro de Ebigawa era chique. Eu também deveria usar algo estiloso? Queria perguntar a Yoriko onde estava o meu gorro, mas ela havia ido à lavanderia.

Encontrei dentro de uma pequena caixa no fundo do guarda--roupa um boné preto. Alguns anos atrás, eu o ganhei de brinde. Então o coloquei, calcei os sapatos e saí.

Cheguei à escola primária Hatori. Depois de passar em frente ao portão, caminhei ao longo do muro escutando a voz entusiasmada das crianças no pátio.

Parei para olhá-las do outro lado do muro. Deviam estar na aula de educação física. Alunos da terceira ou quarta série. Em seus uniformes de ginástica, camisas de manga curta e shorts, todos executavam exercícios de aquecimento.

Que crianças encantadoras. Chie já teve a idade delas.

Um dia, quando fomos à escola assistir a uma apresentação, Chie foi repreendida pela professora ao me ver de pé no fundo da sala e murmurar "papai". Eu me alegrei com a lembrança.

Soltei uma risada. Crianças crescem muito rápido.

Nesse momento, senti alguém do meu lado, quase me encarando. Ao me virar, um jovem policial me olhava. Instintivamente desviei o olhar e fiz menção de partir quando ele me chamou.

Eu não tinha nada a esconder, mas por alguma razão um medo repentino se apossou de mim. Fingi não ter ouvido e apressei o passo.

– Espere!

Meu corpo todo tremeu ao ouvir o grito do policial. Pela primeira vez, alguém tão jovem me dava uma ordem em voz alta. Diversos sentimentos se misturavam dentro de mim.

Parei, petrificado.

– Está tentando fugir, vovô? – perguntou o policial de semblante severo enquanto se aproximava.

Vovô...

Fiquei devastado. Visto pelos olhos de outra pessoa, eu era um velho. Os olhos aguçados do policial cintilavam.
– Tenho algumas perguntas. Seu nome?
– Masao... Gonno.
– Ocupação?
Eu me calei. Não tinha ocupação. Essa resposta não seria boa. Apreensivo, abaixei a cabeça.
– Pode me mostrar sua identidade? – pediu o policial num tom de censura.
Quando coloquei a mão dentro da pochete, logo percebi. Em geral, deixo na carteira minha habilitação e o cartão do seguro-saúde. Hoje, como minha caminhada ficaria circunscrita à área próxima de casa, relaxei e não trouxe minha carteira, apenas o porta-moedas.
Fiquei paralisado, olhando o policial com olhos vagos.
– O que está havendo? – perguntou ele, dando mais um passo na minha direção.

* * *

Por fim, como eu estava com meu celular, telefonei para Yoriko para que ela viesse me ajudar. E ela realmente me ajudou. Passou em casa, trouxe meus documentos e conversou com o policial, que logo me liberou.
Perdi a vontade de ir à aula de *go*, que já havia começado.
– Aquele policial foi rude, mas você também tem sua parcela de culpa, Masao! Por que ficou tão nervoso? – reclamava Yoriko enquanto caminhávamos de volta para casa.
– É que... me espantei. Ser tratado de repente daquela forma, como um criminoso. Estava só observando as crianças, pensando em como são fofas.
– Hum... – Yoriko franzia a testa. – Bem, é natural o policial achar suspeita a atitude de um homem com a sua aparência ob-

servando crianças num dia de semana à tarde. Acontecem muitos incidentes ruins envolvendo crianças.

— Como assim "com a sua aparência"?

Arregalei os olhos, espantado. Minhas roupas eram bastante comuns. Além disso, até coloquei um boné procurando ter um ar mais chique.

Yoriko apontou para minha cabeça.

— Em primeiro lugar, esse boné. Ele cobre demais os seus olhos. É muito suspeito.

— Quê?

— Uma camisa polo esfarrapada com um moletom. Isso são roupas para se usar em casa.

Depois, como se murmurasse para si, acrescentou:

— E ninguém usa sapato de couro com moletom.

Não gosto muito de tênis. Prefiro os sapatos de couro que me acostumei a usar desde a época da empresa. São fáceis de tirar quando entro em algum cômodo. É sério que as pessoas são julgadas suspeitas apenas por suas vestimentas? Se eu estivesse de terno então não haveria problema?

— É tão esquisito usar sapatos de couro com moletom? — perguntei timidamente.

— É preciso um senso muitíssimo apurado para combiná-los com elegância.

De súbito, percebi algo. Yoriko não gosta de como me visto. De vez em quando, a camisa que eu separava para vestir era discretamente trocada por outra, e várias vezes ela me perguntara se eu gostava mesmo da pochete. Apesar de nunca ter dito diretamente que tenho mau gosto para roupas, talvez ela tenha suportado até onde conseguiu.

A expressão "divórcio tardio" empregada pelo professor Yakita me veio à mente. A esposa dele suportara até certo momento, mas de uma hora para outra passou a não tolerar mais.

– Seja como for, o pior de tudo foi fugir ao ver o policial!
– Eu não fugi. Só ele pensou assim.

Lembrei que ele me chamou de vovô e isso quase me deixou deprimido de novo. Decidi não falar sobre isso com Yoriko e me calei, olhando para meus sapatos de couro com aflição.

※ ※ ※

Alguns dias depois, uma caixa cheia de laranjas chegou à nossa casa. Era um presente de um parente de Yoriko, que administrava uma fazenda em Ehime.

– Nossa, que maravilha! Vamos dividi-las com Ebigawa. Veio na hora certa. Vai ser uma forma de agradecer pela ajuda dele com o freio da bicicleta.

Yoriko escolheu algumas laranjas com o formato mais bonito e as colocou em um saco plástico.

– Tome, leve para ele.
– Eu?
– Você também usa a bicicleta, não usa?
– Bem, sim, mas...

Ela evitou dizer "Você tem tempo de sobra", mas notei que era o que ela sentia.

Peguei o saco com as laranjas e fui até a sala do zelador.

※ ※ ※

O pequeno escritório fica próximo à entrada do prédio.

A janela de vidro fica sempre fechada e, quando necessário, Ebigawa a abre pelo lado de dentro para atender quem o procura.

Ele estava sentado de lado atrás da janela e observava algo, distraído.

Quando me aproximei, ele ergueu o rosto e eu o chamei através do vidro.

Ele se levantou e abriu a porta do escritório. Ali mesmo eu lhe entreguei as laranjas.

– Ganhamos laranjas de um parente de Yoriko. Não repare.

– Muito obrigado.

Ele pegou as laranjas. Atrás dele havia um monitor. Parecia passar imagens das câmeras de segurança. Era isso que ele observava?

– Ah, será que vocês gostam de mizuyokan? – perguntou ele.

– Gostamos.

– Ganhei dois dias atrás, mas não sou muito fã de doces com feijão azuki. Ficaria feliz se vocês aceitassem. Espere um pouco, por favor.

Ele devia ter recebido o doce de alguém. Devia ganhar muitos presentes dos moradores em agradecimento. E se ele não gostasse de laranjas?

Estava pensando nisso de pé à porta enquanto Ebigawa me dava as costas e entrava.

O interior do escritório do zelador, que eu via pela primeira vez, era mais amplo do que eu imaginara. Olhando de fora, parecia só haver espaço para ele se sentar, mas no fundo tem até uma pia pequena e um armário.

Era um escritório bastante digno. Tinha uma estante metálica cheia de pastas, um monte de documentos sobre a mesa, um quadro branco pendurado na parede.

E uma grande janela de vidro.

– Janela... – balbuciei.

Ebigawa retornou trazendo um saco de papel de uma famosa doceria das redondezas.

– Como é o trabalho de um zelador? – perguntei de repente.

– Estou aposentado, com tempo de sobra e pretendo trabalhar se houver alguma ocupação interessante.

Falei da boca para fora, mas as palavras não me pareceram

nem um pouco disparatadas. Eu estava bem de saúde, tinha bastante tempo livre e, se ficar desocupado era algo difícil, nada melhor do que voltar a trabalhar. Eu entendia isso perfeitamente.

No entanto, trabalhei a vida toda em uma única empresa e depois de me aposentar não imaginava em que lugar eu poderia me recolocar. Justamente por isso não me aposentei aos 60, e continuei na ativa até o limite máximo de idade – que é 65.

Ebigawa me convidou em voz baixa a entrar e eu aceitei.

– É proibido aos moradores entrar no escritório. Se alguém perguntar, diga que estava me consultando sobre melhorias da associação administradora do prédio.

E durante algum tempo ele me contou sobre o trabalho de zeladoria. O teor das funções, o salário por hora e os locais onde realizavam o recrutamento de pessoal. Ebigawa é um ano mais velho do que eu.

Do lado de fora da janela, pessoas circulavam para a direita e para a esquerda.

Moradores, visitantes, entregadores.

Crianças, adultos, idosos.

Vendo essa paisagem, recordei o poema "A janela".

Ondas vêm. Ondas vão.

Dessa forma, o zelador observava todos os dias pela janela ondas de pessoas.

Diariamente, sem parar, ele contemplava vidas humanas.

– Muita gente passa por aqui, não?

– Passa. É estranho sentir a coexistência de dois mundos distintos separados apenas por um vidro. Sinto como se eu vislumbrasse peixes nadando dentro de um aquário. Mas, da mesma forma, quem passa lá fora deve achar que quem está preso em um aquário sou eu! – Ele riu.

Com certeza era como ele descrevia. O vidro da janela era como uma barreira entre seres vivos.

Pouco antes, eu tinha visto um casal jovem brigando em voz alta próximo à entrada. Não tinham consciência da presença de alguém do outro lado da janela. Quando me viram, pararam de imediato de falar, mas Ebigawa devia ter ouvido tudo o que tinham dito antes.

Uma senhora de costas encurvadas passou com lentidão se dirigindo à entrada. Ela se virou na minha direção e me saudou com um gesto da cabeça. O zelador e eu retribuímos a saudação. Eu a conhecia de vista, mas ignorava em qual andar ela residia.

– Ah, que ótimo. Ela hoje está bem. Passa por aqui todos os dias quase no mesmo horário! Eu me preocupo por ela morar sozinha. Trabalhei um tempo como quiroprata e consigo saber a condição física de uma pessoa só pela maneira como ela caminha – disse ele.

– Além de ter tido uma loja de bicicletas, o senhor também foi quiroprata? – perguntei, surpreso.

– Mudei de ocupação diversas vezes. Quando batia a vontade de fazer uma coisa nova, nada podia me deter – respondeu.

– Caramba... E tudo acabou sendo útil em sua vida. Isso é maravilhoso.

– Mas, quando eu começava, não pensava que poderia ser útil um dia! Apenas tentava seguir os desígnios do meu coração – respondeu ele, indiferente à minha admiração.

Os desígnios do coração.

Será que alguma vez me senti assim?

– Nei sei quantas vezes mudei de ocupação – prosseguiu. – Fui assalariado e trabalhei em diversas empresas. Fui empregado em uma fábrica de papéis, limpei casas e também trabalhei em uma seguradora, na loja de bicicletas, em um restaurante. Ah, e também tive um antiquário.

– Um antiquário? Nossa!

Ebigawa ficou melancólico, depois explicou em tom alegre:

– Foi o menos lucrativo de todos, embora tenha sido agradável. Cheio de dívidas, acabei fechando a loja. Então fui trabalhar com um parente distante, mas um conhecido que me emprestou dinheiro achou que eu havia fugido e colocou a polícia no meu encalço. Depois disso, trabalhei com afinco e liquidei o empréstimo, só que meus clientes acreditaram que eu havia evaporado. Foi um escândalo na época, mas, sabe como é, quando o caso é resolvido ninguém vem a público para informar.

Assenti com a cabeça, lembrando o interrogatório do policial acerca da minha ocupação.

Ebigawa prosseguiu com serenidade:

– Mas os policiais estavam apenas fazendo o trabalho deles. A culpa foi minha de não ter falado com o sujeito a quem eu devia.

Ele tinha razão. Aquele jovem policial que me abordou estava apenas fazendo seu trabalho. Sua atitude de proteger as crianças era maravilhosa.

– Então, o mal-entendido desapareceu? – perguntei.

Ebigawa abriu um sorriso gentil.

– Desapareceu. Um dos meus antigos clientes, que é corretor de imóveis, trabalha para a empresa que administra este prédio, por isso nos reencontramos. Ele me disse que um amigo dele, que frequentava minha loja antigamente, está se preparando para abrir um antiquário. Na época ele era um garoto, mas agora tem por volta de 35 anos. Minha loja não deu certo, mas fiquei feliz por ter inspirado alguém a abrir um antiquário.

Olhei seu rosto de perfil. Rugas profundas. Pele ressecada.

Ele parecia ter uma visão filosófica da vida e, como disse Yoriko, tinha realmente um ar de eremita.

Graças às suas várias ocupações e experiências, ele pôde realizar a notável façanha de mudar para melhor a vida de algumas pessoas. Sem dúvida ajudou muitas, não apenas o tal cliente.

Abaixei a cabeça meio envergonhado.

– É fantástico. Sempre trabalhei na mesma empresa, apenas cumprindo ordens. Ao contrário de você, minha forma de viver nunca influenciou outras pessoas. No momento em que me desliguei da empresa, me tornei inútil para a sociedade.

Ele deu um sorriso.

– O que é a sociedade? A empresa representava toda a sociedade para você?

Senti como se algo espetasse meu peito e pus a mão sobre o coração. Ebigawa virou o queixo ligeiramente em direção à janela.

– O pertencimento é uma coisa relativa. Pense nesta sala, por exemplo. Apesar de estarmos no mesmo lugar, estamos separados por um vidro transparente, e o que acontece do lado de lá, a princípio, não nos diz respeito. Se tirarmos essa divisória, nos tornamos de repente parte do todo.

Ele fixou os olhos em mim.

– Sabe, senhor Gonno, eu acredito que qualquer tipo de contato entre duas pessoas já as torna parte da sociedade. E isso vai além do presente. As coisas acontecem como resultado de nossos pontos de conexão no passado e no futuro.

As palavras do eremita eram de nível tão elevado que eu não conseguia digeri-las.

Entretanto, conforme disse ele, talvez, para mim, a sociedade significasse a empresa. E eu acreditava que a sociedade estaria do outro lado da janela. Só me restava admirar vagamente através do vidro o mundo visível mas intocável.

Em geral, eu estava do outro lado da janela desse prédio e agora estava do lado de cá conversando com o zelador.

Levando em conta suas palavras, para mim, que tenho agora um ponto de contato com ele, este local também... seria uma sociedade?

Ondas vêm. Ondas vão. Ondas lambem os envelhecidos muros de pedra...
Ondas violentas são inevitáveis na sociedade.
De que janela Shimpei Kusano estaria contemplando o mar? Por que da janela e não da praia? Teria sido porque estava ciente da beleza e do pavor do oceano? Por isso, preferiu observar esse mundo de longe como um espectador separado por um vidro?
Logicamente, tudo não passa de desvarios da minha imaginação. Entretanto, eu um pouco, somente um pouco... tive a impressão de compartilhar a vida junto com ele.

* * *

Na tarde do dia seguinte, fui sozinho à livraria Meishin em frente à estação de trem. Não avisei a Yuriko que iria lá.
Encontrei Chie arrumando alguns exemplares na seção de livros de bolso. Eu a chamei.
– Você tem vindo bastante nos últimos tempos – disse ela, sorridente.
Sobre uma pilha de livros havia de pé uma ficha rosa-choque com uma breve resenha. O título *O plátano rosa* estava desenhado em relevo acompanhado da ilustração de uma folha de árvore.
– Essa também foi você que escreveu, Chie?
– Foi. É o livro da Mizue Kanata. Eu o resenhei porque vão lançar um filme dele.
Na cinta do livro havia o retrato de duas atrizes famosas. Deviam ser as estrelas do filme.
– Esse romance é muito bom! Fico encantada com os diálogos descontraídos. Dizem que não só mulheres, mas também homens da sua idade, papai, se emocionam a ponto de chorar. Depois de ser publicado em capítulos em uma revista feminina,

virou livro. Apesar de ter o mesmo conteúdo, agora ele pode ser lido por mais pessoas, o que é incrível – disse ela, fascinada.

– Nossa! – exclamei e a olhei com admiração.

Ela estava exultante.

– Você veio comprar algum livro?

– Não... Tem uma coisa que eu queria te perguntar.

Depois de olhar ao redor, ela disse em voz baixa:

– Pode esperar um pouco, até meu almoço? Podemos comer alguma coisa juntos.

✳ ✳ ✳

Seu intervalo de almoço era de 45 minutos. Ela tirou o avental e fomos até a praça de alimentação. Entramos em um restaurante especializado em pratos de soba, e sentamos a uma mesa, um de frente para o outro.

Depois de beber um gole do chá verde, Chie suspirou.

– Cansada?

– Hoje nem tanto.

Olhei para suas mãos segurando a xícara e reparei que as unhas estavam bem curtas. Se não me engano, na época da faculdade ela usava unhas longas, pintadas de diversas cores.

– Rolou um burburinho de que eu seria promovida, mas acabou não dando em nada – disse ela, sorrindo discretamente.

Chie já trabalha há cinco anos na livraria, mas havia comentado que era difícil conseguir mudar de cargo. O ramo das livrarias parece ser bem fechado.

– É mesmo? Sinto muito...

– Pelo menos tenho um emprego.

Nossos pratos chegaram. Chie escolheu um soba de tempura e, eu, um macarrão udon coberto com tofu frito.

– Dizem que o número de livrarias está diminuindo. Atualmente é difícil vender livros – falei, mergulhando a fritura no caldo.

O rosto de Chie se anuviou.

– Não diga isso. As pessoas falam sem saber e as coisas acabam caminhando nessa direção. Sempre vai ter quem compre livros. Numa livraria, as pessoas podem encontrar livros importantes para elas! Se depender de mim, as livrarias jamais vão desaparecer deste mundo.

Ela sorveu o caldo do macarrão.

Apesar de se queixar por não ter sido promovida, ela ainda tinha esses pensamentos nobres.

Talvez isso fosse um "desígnio do coração". Ela gosta mesmo de livros. E do trabalho na livraria.

– Desculpe, Chie. Você está se esforçando. É muito mais batalhadora do que seu pai.

Repousei os hashis e ela balançou a cabeça.

– Mas você trabalhou na mesma empresa até o final, e isso é uma coisa incrível! Foi um esforço enorme! Todos adoram os biscoitos Honey Dome da Kuremiyado.

– Mas não era eu que os fazia.

Voltei a mover os hashis lembrando ter tido a mesma conversa com Komachi. Chie franziu a testa.

– E isso importa? Eu não escrevi nenhum dos livros que vendo! Mas me alegro muitíssimo se consigo vender um de que gosto. Por isso me empolgo tanto em escrever as resenhas. Os livros que recomendo também são de certa forma um pouco meus, mesmo sentindo isso apenas no meu coração.

Chie deu uma dentada no seu tempura.

– De nada adianta ter apenas gente produzindo! É preciso pessoas para divulgar e entregar. Quantas pessoas você acha que estão envolvidas do momento em que um livro é concluído até chegar às mãos dos leitores? Eu sou uma parte desse fluxo e me orgulho disso.

Olhei para Chie. Pela primeira vez, ela me falava diretamente sobre seu trabalho... Ela se tornara adulta.

Não fiz nenhum Honey Dome. No entanto, assim como Chie, recomendava com todo o entusiasmo esse biscoito maravilhoso. Talvez eu tivesse feito parte desse fluxo até chegar ao instante em que alguém sorriu por tê-lo achado delicioso. Pensando assim, me sinto recompensado pelos 42 anos de dedicação.

– Ah, é mesmo. Falando nisso... Tendo praticamente terminado seu soba, Chie enfiou a mão em sua bolsa. De dentro, retirou um livro. Era o *Astrágalos e sapos*.

– Quando você falou que estava lendo Shimpei Kusano, fiquei tão feliz que o comprei. – Ela abriu o livro e o folheou. – Esse poema "A janela" é ótimo, não? Tem um ar diferente dos outros.

– Não sentiu estranheza nesse título, "A janela"? – perguntei, feliz por termos tido a atenção atraída para o mesmo poema.

– Hum. É apenas minha imaginação, ou é mesmo emocionante quando estamos em um hotel e, ao abrir a janela, nos deparamos com o mar? Até então só víamos o interior do quarto, mas acabamos percebendo que do lado de fora tem um mundo imenso. Na janela, sentindo a brisa marinha soprar, a vida parece se fundir com a imensidão do oceano – refletiu sem tirar os olhos das páginas.

Entregando-se ao reino da imaginação, ela apertou contra o peito o livro aberto. Eu me admirei. Apesar de ser o mesmo texto, ela via uma paisagem diferente da que eu vira.

A interpretação de Chie era muito mais alegre e positiva.

Que maravilhosa é a poesia!, exclamei para mim mesmo no fundo do peito.

Apenas Shimpei Kusano conhecia a verdade. No entanto, cada leitor tinha sua interpretação, e isso era ótimo. Chie fechou o livro e acariciou os sapos na capa.

– Quando compro um livro como leitora, também faço parte do fluxo. Quem faz o mundo editorial girar não são apenas os que trabalham diretamente com o livro, mas antes de tudo os leitores. O livro é de todos: seus autores, editores, vendedores e leitores. Isso é a sociedade.

Sociedade...

Eu me espantei ao ouvir essa palavra sendo pronunciada por Chie.

O que faz o mundo girar... Ele não gira graças apenas às pessoas que trabalham...

Chie guardou o livro na bolsa. Nesse momento, notei o caranguejo de feltro preso nela.

– Olhe só! – falei, apontando para ele.

– Ah, isso? Ele é tão bonitinho que preguei um alfinete e o transformei num broche. Não ficou ótimo?

Maravilhoso. Com ela, o caranguejo teria uma vida muito mais divertida do que se estivesse comigo.

Chie o olhou e esboçou um sorriso.

– Lembra a competição de caranguejos da época da escola primária?

– Competição de caranguejos?

Ela riu.

– Não se recorda? Na terceira série! Teve uma gincana. A gente tinha que competir com as costas coladas, andando de lado como caranguejos. Ficamos em último lugar.

– Verdade, foi isso mesmo.

– Você disse que era engraçado andar daquele jeito! A paisagem passava de lado, o que permitia ver o mundo mais amplo do que de costume. Andar de lado expande a visão, não é?

Devo ter dito isso sem refletir. Porém, a memória de Chie estava correta. Ela abaixou a cabeça um pouco envergonhada.

– Depois que me tornei adulta por vezes me lembro daquelas suas palavras. Quando se olha somente em frente, o campo de visão se restringe. Por isso, quando estou angustiada, me sentindo num beco sem saída, tento mudar minha perspectiva e andar como um caranguejo.

Fiquei feliz que ela pensasse assim.

Emocionado, me contive a todo custo para não chorar.

Até Chie crescer, trabalhei tanto que deixei a criação dela nas mãos da mãe.

Talvez compartilhemos poucas lembranças juntos. Talvez eu não tenha ensinado muito a minha filha.

"Acredito que qualquer tipo de contato entre duas pessoas já as torna parte da sociedade. E isso vai além do presente. As coisas acontecem como resultado de nossos pontos de conexão no passado e no futuro."

Senti que finalmente compreendia as palavras de Ebigawa.

Não é só a empresa. Havia uma sociedade também entre pais e filhos. As palavras que, de maneira irrefletida, eu dissera quando minha filha era pequena foram interpretadas por ela com cuidado e se tornaram parte dela. Eu me emocionei ao constatar como ela havia crescido.

Na bolsa de Chie, o caranguejo me espiava.

Até agora eu sempre caminhei para a frente. Acreditava que a vida se estendia apenas numa direção.

No entanto, o que eu podia ver na paisagem andando de lado?

Como minha vida diária refletia na minha filha e na minha esposa junto a mim?

Chie acenou para a atendente pedindo mais chá. Depois olhou para mim como se lembrasse algo.

– Falando nisso, o que você queria me perguntar?

* * *

Alguns dias depois, no início da tarde, fui devolver os livros à biblioteca do Centro Comunitário.

O mesmo homem de camisa verde de antes colava um cartaz no mural de avisos formado pelo anteparo da seção de consultas.

– Hiroya, coloque um pouco mais para a direita – orientava Nozomi, que estava um pouco afastada.

O homem chamado Hiroya retirou a tachinha da parte superior direita e mudou o cartaz de posição.

"Experimente ser bibliotecário por um dia." Parecia ser esse o evento. Havia o desenho de um carneiro abrindo um livro. Seus chifres em formato de espiral pareciam ter vida própria. O desenho era misterioso e seu estranho charme atraía os olhares.

– Boa tarde – cumprimentei ao passar.

– Ah, boa tarde – Nozomi me saudou com o semblante sorridente.

Komachi estava sentada do outro lado do anteparo manejando a agulha. Ao perceber minha presença, ela interrompeu o trabalho. Seu olhar recaiu sobre a sacola que eu carregava... Ela se concentrou no logo da Kuremiyado.

– Uma lembrancinha. Por favor, aceite.

Tirei da sacola uma caixa. Continha uma dúzia de Honey Dome.

Komachi levou as mãos ao rosto.

– Que alegria!

Continuarei divulgando e saboreando esses biscoitos com confiança e orgulho. Afinal, agora sinto que eles também são meus.

Komachi se levantou e me agradeceu.

– Lembra quando me perguntou se os dois cookies que sobram na caixa são o "excesso"? Creio ter obtido a resposta – falei.

Komachi me olhava com a caixa nas mãos.

– Os dois biscoitos dentro da caixa são idênticos aos que comi primeiro. Todos eles são igualmente fantásticos.

Agora eu entendo.

O dia de meu nascimento, o dia de hoje e os dias que ainda virão... Qualquer que seja o dia, ele é precioso.

Com o semblante repleto de satisfação, Komachi se sentou na cadeira abraçando a caixa.

– Tem uma coisa que quero te perguntar – falei com cautela.

– O que seria?

– É sobre esses brindes. De que forma você os escolhe?

No que se refere à seleção dos livros, ela com certeza se pautava em sua longa experiência e em seu instinto para sugerir os mais adequados a cada leitor. No entanto, seria impossível descobrir sobre os caranguejos de água doce no centro comercial ou saber sobre a competição de imitar caranguejo na antiga escola da minha filha.

Eu esperava descobrir alguma técnica secreta, mas Komachi declarou com indiferença:

– Aleatoriamente.

– Quê?

– Se quer uma palavra mais simpática: intuição.

– Intuição...

– Fico feliz que tenha servido de algo para você. Muito feliz.

Komachi olhou diretamente para mim.

– Mas, na realidade, eu não faço nada. Cada um encontra um significado próprio no brinde que dou de presente. O mesmo acontece com os livros. Os leitores fazem suas próprias conexões com as palavras, independentemente da intenção do autor. Assim, cada leitor obtém algo único.

Komachi suspendeu a caixa, me agradecendo mais uma vez.

– Obrigada. Vou comê-los com meu marido.

A caixa de Honey Dome seria aberta pelo casal e alegraria os olhos, o paladar e o coração deles. Eu me sentia honrado em fazer parte desse fluxo.

* * *

Início de maio.

No começo da tarde de um dia ensolarado, combinei de encontrar Yoriko no saguão do centro cultural perto do parque. Durante a manhã, ela daria uma aula de informática para adultos e depois disso faríamos um piquenique.

Caminhamos juntos pelo parque repleto de frondosas cerejeiras.

Trago alguns onigiris na minha mochila. Vai ser uma surpresa. Quando ela estava ausente, treinei diversas vezes às escondidas como prepará-los. Quando estávamos no restaurante de soba, perguntei a Chie o sabor preferido da mãe.

Folhas de nozawana.

Eu me admirei. Foi bom ter perguntado. Eu mesmo jamais imaginaria. Até aquele momento, eu não tinha a menor ideia disso, apesar de Yoriko conhecer bem os meus gostos.

Nós nos sentamos em um banco e, ao ver os onigiris envoltos em filme plástico, ela soltou um gritinho entusiasmado. Depois de olhar alternadamente para os onigiris e para os meus olhos, comeu um pedaço.

– Nozawana! – exclamou com alegria.

Vê-la feliz me deixou feliz também.

– Masao, lembra quando fui demitida e você me levou para passear de carro em Nagano? – perguntou ela.

– Ah, sim.

Quando Yoriko tinha 40 anos, a empresa onde ela trabalhava passou por dificuldades financeiras e anunciou demissões como parte de uma reestruturação. Julgaram que não seria tão problemático no caso dela, porque tinha um marido para lhe dar suporte.

– É duro a demissão não ter relação com minha competência profissional – dissera Yoriko na época, chorando.

Péssimo com as palavras e sem saber como consolá-la, me limitei a convidá-la para dar um passeio de carro. Pensei em distraí-la partindo juntos numa viagem rápida a uma estação de águas.

– Naquele dia, do banco do passageiro eu observava o seu perfil pensando que, apesar de uma coisa grande ter desaparecido da minha vida ao ser demitida, eu, de fato, não tinha perdido nada. Afinal, eu era a mesma pessoa de sempre. Só tinha me afastado da empresa para a qual trabalhara até então. Na realidade, era simplesmente isso! A alegria obtida com o trabalho e a felicidade de conviver com pessoas queridas eram coisas que eu poderia continuar a ter e só dependeria de mim. Então, decidi trabalhar como autônoma.

Yoriko virou o rosto na minha direção, sorridente.

– Não esqueço as folhas de nozawana que comi em Nagano naquele dia. Estavam deliciosas, e desde então passei a adorá-las.

Retribuí o sorriso. Foi esperteza minha saber por Chie do que minha esposa gostava, mas Yoriko certamente me perdoaria por isso. Eu mesmo não esquecerei o dia de hoje, em que comemos onigiri um ao lado do outro.

– Yakita está contente por tê-lo na turma! – comentou enquanto eu retirava o filme plástico do meu onigiri.

Eu paguei a mensalidade de maio das aulas de *go*.

Voltei a ler os manuais de introdução ao *go* recomendados por Komachi. Apesar de ainda ter dúvidas, provavelmente eu me familiarizara um pouco com as regras por ter, mesmo que uma única vez, tocado nas pedras de *go* na aula. Se não tivesse tido essa experiência, sem dúvida não pensaria dessa forma. Essa "uma única vez" fez uma enorme diferença. Eu também desejava descobrir onde estaria o drama no jogo.

– É difícil, fique sabendo! Quanto mais aprendo, mais esqueço – falei, rindo. – Mas é bom quando consigo entender uma coisa depois de inúmeras repetições. Vou me empenhar em aprender!

Isso é útil para mim? Vou tirar algum proveito? Talvez o que me atrapalhou até agora tenha sido esse juízo de valor. Ouvir a voz do coração é importante, e havia várias coisas que eu desejava fazer.

Tentar fazer macarrão soba, conhecer locais históricos, ter aulas de conversação em inglês pela internet, que Yoriko me ensinou como acessar, e muito mais. Até feltragem em lã eu gostaria de tentar. E quem sabe responder a algum anúncio de emprego se me sentir motivado.

Quero viver em plenitude cada novo dia. Com uma visão ampla, olhando também para os lados.

Depois de terminar meu onigiri, andei de tênis em meio ao verde do início de verão.

Pássaros cantam. Uma brisa sopra. Ao meu lado, Yoriko sorri.

Eu me recuso a ficar para trás.

Daqui em diante, vou reunir com cuidado tudo aquilo de que gosto. Vou criar minha própria antologia.

Vamos, vamos, Masao, em frente!
Força, força, Masao, adiante!
Olhe, olhe, Yoriko está ao seu lado!

– O que é isso? – Yoriko arregalou os olhos.
– A "Canção de Masao".
– Hum. Gostei – disse ela, com um sorriso.

Livros reais citados

『ぐりとぐら』中川李枝子 文 大村百合子 絵 福音館書店 *Guri to Gura* [Guri e Gura], texto de Rieko Nakagawa e ilustrações de Yuriko Omura, publicado por Fukuinkan Shoten.

『英国王立園芸協会とたのしむ 植物のふしぎ』ガイ・バーター 著 北綾子 訳 河出書房新社 *Eikoku Oritsu Engei Kyokai to Tanoshimu Shokubutsu no Fushigi* [O mistério das plantas: o melhor da Sociedade Real de Horticultura Britânica], de Guy Barter, tradução de Ayako Kita, publicado por KAWADE SHOBO SHINSHA.

『月のとびら』『新装版 月のとびら』石井ゆかり著 阪急コミュニケーションズ/ CCCメディアハウス *Tsuki no Tobira* [A porta da lua] e *Shinsoban Tsuki no Tobira* [A porta da lua (nova edição)], de Yukari Ishii, publicado por Hankyu Communications (primeira edição) e CCC Media House (nova edição).

『ビジュアル 進化の記録 ダーウィンたちの見た世界』デビッド・クアメン ジョセフ・ウォレス著 渡辺政隆監訳 ポプラ社 *Visual Shinka no Kiroku Darwintachi no Mita Sekai* [Registro da evolução ilustrado: o mundo visto por Darwin e seus pares], de David Quammen e Joseph Wallace, tradução de Masataka Watanabe, publicado por POPLAR.

『げんげと蛙』草野心平著 銀の鈴社 *Genge to Kaeru* [Astrágalos e sapos], de Shimpei Kusano, publicado por Gin-no-Suzu.

『21エモン』藤子・F・不二雄著 小学館 *21 Emon*, texto e ilustrações de Fujiko F. Fujio, publicado por Shogakukan.

『らんま1/2』『うる星やつら』『めぞん一刻』高橋留美子著 小学館 *Ranma 1/2, Urusei Yatsura e Maison Ikkoku*, texto e ilustrações de Rumiko Takahashi, publicado por Shogakukan.

『漂流教室』楳図かずお著 小学館 *Hyoryu Kyoshitsu*, texto e ilustrações de Kazuo Umezu, publicado por Shogakukan.

『MASTERキートン』浦沢直樹著 小学館 *Master Keaton*, texto e ilustrações de Naoki Urasawa, publicado por Shogakukan.

『日出処の天子』山岸涼子著 白泉社 *Hi Izuru Tokorono Tenshi*, texto e ilustrações de Ryoko Yamagishi, publicado por Hakusensha.

『北斗の拳』武論尊原作 原哲夫作画 集英社 *Hokuto no Ken*, texto de Buronson e ilustrações de Tetsuo Hara, publicado por SHUEISHA.

『火の鳥』手塚治虫著 KADOKAWA *Hi no Tori*, texto e ilustrações de Osamu Tezuka, publicado por KADOKAWA.

Bibliografia

『夢の猫本屋ができるまで』井上理津子著 安村正也協力 ホーム社 *Yume no Nekohonya ga Dekiru made*, de Ritsuko Inoue, em colaboração com Masaya Yasumura, publicado por Home-sha.

『世界一楽しい 遊べる鉱物図鑑』さとうかよこ著 東京書店 *Sekai Ichi Tanoshii Asoberu Kobutsu Zukan*, de Kayoko Sato, publicado por Tokyo Shoten.

Colaboração em entrevista

Masaya Yasumura, da livraria Cat's Meow Books.

Agradecimentos especiais

Yukari Ishii
Miho Saigusa
Masashi Kumashiro
Ryoichi Otsuka
Noboru Ito

Para saber mais sobre os títulos e autores da Editora Sextante,
visite o nosso site e siga as nossas redes sociais.
Além de informações sobre os próximos lançamentos,
você terá acesso a conteúdos exclusivos
e poderá participar de promoções e sorteios.

sextante.com.br